Increíbles revelaciones
de una lombriz

ISBN 979-8-218-40021-7

Tough Poets Press
Arlington, Massachusetts 02476
U.S.A.

www.toughpoets.com

Domício Coutinho

§

Increíbles revelaciones de una lombriz

Traducido del inglés
por M. Cristina Lambert

Introducción y entrevista
de George Salis

Tough Poets Press
Arlington, Massachusetts

Introducción

"El amor que nos lleva al cielo es el gemelo del odio que nos lanza al abismo. En las manos de ambos, nunca sabemos dónde estamos, y poco nos importa el final".

La lombriz. Una creatura no celebrada en canción, a lo más, impropiante en su peor aspecto. Cuando se la recuerda en modo alguno a menudo se usa como un insulto o invocada como la que come a los muertos, memento mori, etc. La lombriz, casi siempre tan injustamente denigrada como la serpiente. Sin embargo, fue musa de Charles Darwin, una creatura que carece de huesos, haciéndola más flexible y sinuosa que los humanos puedan esperar ser jamás. Como los buitres, son decompositoras, asumiendo la tarea ingrata de limpiar el mundo a fondo. Aparte de nociones mórbidas, una abundancia de estas hermafroditas es una señal de tierra sana. Sin embargo, ninguna de éstas son razones por las cuales invariablemente yo me inclino durante caminatas y recojo con los dedos descubiertos las lombrices desamparadas en el asfalto u hormigón, aquéllas a punto de asarse al lado de sus parientes desecados. Es porque la vida merece vivir. Este respeto por los seres en esta red de la naturaleza, de la cual somos sólo un hilo, es algo que Domício Coutinho posee en abundancia esópica. Es un respeto que se remonta a una mayor reverencia por la creación, imcluso la creación de la creación, esa primera historia que posee dentro de sí misma todas las historias, incluso sus propias permutaciones infinitas. "Esos cuentos y visiones me convencieron de una cosa, que la mente humana viene de esas eras perdidas largo tiempo de la historia, fragmentadas, sin embargo, como un espejo en mil trizas, que refleja el mundo que lo rodea, desde que se dijo la primera palabra". En todo respecto *Increíbles revelaciones de una lombriz*, Coutinho nos da sus versiones chapuceras y hechas a la medida de los cuentos más antiguos. Según esta novela, las lombrices son creaturas de primer orden, incluso un personaje vermicular en particular: "Ella era noble, su sangre azul venía de los orígenes del mundo. El primer animal que aparece en el planeta. La crisálida en que se transformaban las plantas. Descendía directamente de la primera mujer, a quien el Gran Kirios le dijo: "¡Que haya lombriz!"

Todos estos cuentos existen dentro de uno o más cuentos de fondo, el primero ofreciendo a un hombre observador y pensativo si a veces sentencioso que pasa la mayoría del tiempo por la playa, que se nos dice, es un lugar dispuesto a mentes creativas: Se dice que Beethoven había concebido la Sexta Sinfonía al lado del océano. Shakespeare escribió *La tempestad* escuchando las olas". La playa, fundación perfecta para una novela obsesionada con incepción, especialmente considerando cómo el agua es la esencia de la vida, o por lo menos de la vida como la conocemos, la playa como el puente entre el cuento de una creación y de otra, nuestra transición trascendental del agua a la tierra, cuando volvimos el mar al revés y lo guardamos dentro de nosotros, nuestros cuerpos, más de la mitad está hecho de agua. Somos sacos del océano. Sobre su propia creación, el protagonista dice, "Sabía que el Alfarero, cuando me creó, estaba muerto de cansancio, ya que me dejó todo torcido y fuera de lugar. Y le faltaba el aliento. En vez de entrar por las ventanas de la nariz, se escapó por la frente".

Como personaje, Eva a la larga queda reducida al mito de la creación en su esencia dicotómica: oscuro y luz. Oscuridad, siendo fotófoba, participa en casi una guerra nuclear con su radiante contraparte. Esta sección de fuegos artificiales primordiales es sólo el escenario para más cuentos y cotilleos. Antes y después, nos enteramos por qué el flamenco se para en una pata todo el día, que el movimiento del cangrejo delineó la teoría de relatividad de Einstein, por qué los peces de la tierra pierden el control al ver una lombriz (indirecta: es por razones lascivas), cómo el Hombre vino de la Mujer antes que lo contrario, y cómo Neptuno inventó el nepotismo. También nos informamos sobre los reyes vermífugos, el asno Zeferino que participa en los eventos de Gólgota, el pacto de Washington con el Diablo, un tiburón con misantropía bien fundamental, el significado de las "luchas de las calaveras"" y más.

Habiendo estudiado teología aristotélica tomista en la Universidad Gregoriana de Roma y más tarde dejando el seminario, es de esperar que Coutinho ofrezca a los lectores crítica religiosa con enfoque mayormente en la Cristiandad (aunque ésta es una novela que incorpora el paganismo en su cosmos), ambos por la boca del protagonista y de la lombriz, esas revelaciones increíbles como lo promete el título: "Durante todo el drama de la Pasión, no había aparecido ni una vez, ni dicho una palabra durante el juicio y la muerte en la colina entre dos criminales. Nada que consolar, nada que reprender, nada. Ese silencio debe haber sido su mayor tormento. ¿Qué padre cerraría los ojos y dejaría a su hijo en manos de verdugos, muriendo en una cruz? ¡Qué padre, de veras! Otro ejemplo, éste en cuanto a la fe, referido con un pronombre femenino: "Ella habla e inspira en realidad a cualquiera, pero de pronto abandona a sus seguidores más devotos, aquéllos

embelesados que compraron sus hechizos a precios inflacionis-
tas. Esos que ella trata como una vampiresa que se deleita en pintar los esplendores de los pocos instantes que pasa con amantes
en la tierra, engañándolos con la promesa de éxtasis sempiterno
en un palacio de oro, sin haber dado jamás hasta el día de hoy la
menor demostración que existe tal palacio". Este tipo de crítica
se parece en espíritu a la primera novela de Coutinho, *Duke, el
perro sacerdote*, que profesa contra el mandato del celibato, aunque ese libro (mi personal favorito), es más Márqueziano, con
una estructura más tradicionalmente basada en el personaje y
una narrativa global, mientras que la estructura y el estilo de
Increíbles revelaciones de una lombriz es más Voltaireana, una
novela expositora llena de ideas abastecidas por zoología extravagante. Sin embargo, estos libros también comparten una irreverencia necesaria y chistosa. No olvidemos que la reverencia
más verdadera viene con más de una insinuación de irreverencia
porque para amar algo se debe saber todo lo que es—la diferencia
entre la fe ciega y algo más perpicaz, algo más verdadero.

Para el fin de la novela, Coutinho distila cuentos en dos
dicotomías que se sobreponen: los cuentos de Homero y los cuentos de Moisés, aquellos cuentos regidos por Dioses y éstos por
Dios. "Un día dijo Homero 'Mira, Moisés, ya hay bastantes mitos
para un bosque de libros.' Moisés, menos hosco ese día, estuvo
de acuerdo. "Tienes razón, Homero, juntemos todo y lo hacemos
un solo cuento. Yo lo cuento de un modo, tú de otro, y al final
escogeremos cuál es más bonito. ¿Cuál es el cuento feo y cuál
el lindo, cuál la oscuridad y cuál la luz? Pregúntale al cangrejo
que camina hacia atrás pero en realidad está caminando hacia
adelante y te dirá que todo es cuestión de perspectiva."

Después de leer por primera vez la maravillosa novela estreno de Coutinho, *Duke, el perro sacerdote*, y escribí sobre ella para mi columna *Libros invisibles*, lo localicé para una entrevista con la ayuda de su amable hijo, el historiador Charles Coutinho. En esa entrevista excepcional, Coutinho padre dice, "Anhelo el día que [*Increibles revelaciones de una lombriz*] se traduzca al inglés". Mi proyecto reseña-entrevista despertó el interés de Clifford E. Landers, el traductor original de la primera novela de Coutinho, quien asumió la tarea y ayudó a un nonagenario a realizar su sueño. Más tarde, en mi calidad de especialista voluntario en adquisiciones le envié el manuscrito a Rick Schober para posible edición en Tough Poets Press. Y el resto es producto de aún otro cuento de la creación.

George Salis

George Salis es el autor de la novela *Sea Above, Sun Below* (*Mar arriba, sol abajo*). Es el ganador del premio Tom La Farge para escritos innovadores (Tom La Farge Award for Innovative Writing). También es el editor de www.TheCollidescope.com, una publicación en línea que celebra la literatura innovadora y desentendida. Después de casi una década está a punto de terminar una novela maximalista titulada *Morphological Echoes* (*Ecos morfólogos*). www.GeorgeSalis.com

Capítulo Uno

Ese día feriado se me ocurrió la idea de correr en la playa. Un panorama pintoresco verdoso de una isla caribeña. Magia irresistible de una mañana de mayo. Viento fresco, los colores del mar que cambian de azul a verde a grisaceo verde. Un brillante chocolate verde dominaba el paisaje tropical. Lo que me dio más impresión fueron las olas plateadas. Furor y dulzura. En una huella de la naturaleza juguetona de niñitas impetuosas brincando, una encima de otra y echándose sobre las piedras. Falsas hijas de Neptuno quien se fue, mientras que ellas se quedaron, recordando el antiguo salvaje.

Un fuerte viento, malvado como sólo éste puede serlo, me azotó la cara, el pecho, los costados, envolviéndose alrededor de mis piernas, loco genial, obstruyendo la carrera. El viento atrevido e impertinente de la costa.

Sin embargo, no debería echarle la culpa, sino más bien a la fascinación del paisaje que me llevó más allá del punto de no retorno. Al lugar que los pescadores llamaban "El cerro de los vientos transversales". Enloqueciendo todo cuando llegó. Caballos ambulantes libres en el campo se detienen de pronto, levantando y bajando la crin. Girando levemente, balanceándose en círculos, una danza extraña y deslumbrante de ancas, como si las montaran duendes holgazanes, De pronto, parten, lanzándose a las olas, las rocas, las altaneras palmeras de coco, en todas direcciones, en una verdadera furia de los poseidos, silbando y aullando la trágica canción de las sirenas.

Era fascinante. La playa misma de pronto escondida por la media luna, formando una bahía al pie de una profunda pendiente llena de agujeros. Arriba, un coro de esparcidos árboles de coco murmuraba. Abajo, peñascos gigantescos y monstruosos deformados, amontonados en la arena. Gente que llega y se sienta para escuchar el coro de vientos lamentando su destino, sus pecados y sus maldiciones, que también tienen los vientos, según los pescadores. Personas tranquilas y abiertas, pero muy superticiosas.

Se decía que siete caballos en total, bautizados en conjunto y en armonía con su naturaleza y carácter. El Teleu, El Gisel, El Flavô, El Lulu. El Carol, regidos por el elegante y carismático Al Mondeu con su bamboleo ágil y agitado, la cola remolineando en el aire para guiarlos. Un señor de los vientos nunca hierra. Excepto el más reciente, El Cecil, orgulloso e indomable, suelto y corriendo sin riendas en la playa.

Rebeldes, hacen relampaguear y tronar en noches claras, creando las tormentas que braman y sacuden la tierra. Algunos encantados de turbar a los muertos tranquilos en sus tumbas, y arrastrarlos bailando en las carreteras, su atavío luminoso agitándose en el viento. Esos no eran nada vientos sino espectros errando y gimiendo con delirio. En la próxima encarnación, decían, serían personas encantadoras. Ángeles de bondad y generosidad. Nadie podría reconocerlos, ni sospechar que sólo fueran vientos transversales. Una creencia extravagante de esos pescadores, aceptada y creída por muchos, aun ahora.

Esos cuentos y visiones me convencieron de una cosa, que el entendimiento humano viene de eras de la historia perdidas desde hace mucho, fragmentadas, sin embargo, como un espejo hecho trizas, que refleja el mundo que lo rodea, desde que se dijo la primera palabra.

Capítulo Dos

Poco después, vi un grupo que pensé eran hippies. Estaba completamente equivocado. A lo sumo unos quince o dieciocho, extendidos en las piedras, sentados o estirados de espaldas, las caras perplejas abiertas al cielo. Uno de ellos se balanceaba en una pierna, con la otra levantada de la manera que un farmacéutico guarda los pies debajo de la mesa, honrando fielmente un contrato firmado con sangre con brujas para garantizar éxito y fama, pero quienes descubrieron que no era suficiente y le exigieron que también inspirara cuentos para deleitar al mundo de hoy y eras por venir. Y consintieron a cambio de su alma y su bigote. El contrato estipulaba una pierna en el aire cuando escribía, cenaba, orinaba, o hacía el amor. A juzgar por las aparencias y lo que nos dicen los lingüistas, se creía que un gran poeta de ultramar había firmado un contrato con esas mismas brujas, o sus contrapartes. Excepto que era su flamenco que mantenía una pata suspendida todo el día.

Para descubrir la verdad, busqué en vano a esas damas idénticas que nunca se encontraban en casa y ni siquiera tenían la gentileza de llamarme de vuelta. Desistí. Les ofrecería dos piernas en vez de una, levantadas al mismo tiempo. Mi bigote, patrimonio preciado de mis abuelos, y por añadidura, lo que me queda de las canas, el oasis en el desierto que domina el paisaje. A cambio, yo recibiría inspiración y arte para algunos diálogos modernos, aunque no dignos de los de Platón, al menos podrían poseer algo de la magia que captivó al alquemista.

Los cínicos dicen que las brujas se rieron de mí entonces y siguen haciéndolo. Muy bien. Estoy cansado de decirle al hijo de Doña Philo que no frecuente la compañía de esa gente. El estúpido nunca me hace caso.

Los hippies. Uno descansaba la mano en la rodilla. Otro, en la pose estática de un payaso de Watteau. Aún otro, con bastón en la mano, sombrero de ala ancha, podría ser un científico cazando mariposas.

La presencia de tales personas reunidas allí me pareció tanto chocante como demasiado prosaica. Vestidos como estaban, no en traje de baño sino de la manera que se asiste a un concierto estival en Central Park, o un picnic de locos. Todos de negro o ropa oscura, hombres y mujeres, varones simpáticos, muchachas amorosas, a pesar de su aparente locura, atentos y absortos en las voces del más allá.

La impresión que despertó en mí fue de pronto recordar los días de Woodstock que había visitado no hacía mucho. Rememoré el gran evento de los años sesenta cuando la juventud dejó estupefacto al mundo, sacudiendo las tradiciones al viento. ¡La América Victoriana se esfumó en un ciclón! Adiós a la disciplina de los buenos modales, a la vida, al comportamiento privado o público, a gustos y a todo, ya sea tosco, refinado, o selecto. Se restauraron cosas barbáricas. Cualquiera que no subiera a bordo del convoy a Woodstock perdería el tren de la Historia o del milenio. La gran "Toma de la Bastilla" de la ética y las costumbres ocurrieron en esos días.

Hombres y mujeres jóvenes, ancianos y niños se unieron al sonido de rock y retozo, desnudos, borrachos, alucinados, divinos, en las calles, los bosques, los ríos. Volvían al paraíso. Más que un congreso eucarístico de drogas y, sí, de besos y lenguas, en comunión insaciable: tomad y comed, éste es mi cuerpo.

Se desplegaron banderas de la revolución sexual. Y la sociedad que nació del lazo entre hombre y mujer cedió al *homo*, verdugos del contrato que exigía reconocimiento y un papel integral en el proceso.

Esa falta de orientación impactaría el alma de la Iglesia, se apoderaría de los púlpitos y penetraría celdas y conventos. He aquí apóstoles de Cristo trocando el Evangelio por la economía marxista y la política de las masas. Fanfarrones en la Iglesia comenzaron a reconstruir la pobreza como ignominia, olvidando que la pobreza era hermosa y santa, la noble flor del Evangelio, encarnando una mística cantada y transplantada de los jardines de la Biblia. Ser pobre era chic y, por añadidura, una vida fácil y confortable. Igual a la riqueza, una cuestión de costumbre, temperamento y vocación estoica escondida en los genes de la especie. La fantasía de los lirios de la pradera y los pájaros en el cielo, quizás lo más hermoso que se encuentre en el Evangelio, siempre ha estimulado el alma de ricos y pobres del mismo modo. Pero los ricos lo tratan como un aliciente, una quimera peligrosa, o a lo sumo, una broma angélica, salvo por el respeto debido a Él quien lo narró. Algunos fueron tan lejos como considerarlo desafortunado. Mientras le tocó a los pobres transformarlo en una forma de vivir. Soñar. ¡Qué hermoso es soñar con los lirios morados con que el Padre Celestial nos adornará algún día! Sin que necesitemos sudar para alcanzarlos. Basta rezar cinco décadas del rosario y letanías, soñar con quitarles la vida de placer a los ricos, calumniarlos, y consignarlos al lugar que se merecen en el gehena. Cruzando los brazos, sus piernas espirituales en la pose de nuevos Budas cristianos. Con una pequeña plegaria, San Buda, *ora pro nobis*. Ahora, nuestro Padre celestial no falla nunca, con maná del cielo y el morado de los lirios,

Ser pobre es un hermoso sueño. Un camino seguro al empireo. En un recordatorio conmovedor, mirad la imagen de un camello que pasa por el ojo de una aguja . . . y el rico entra en las puertas del infierno . . .

La iglesia ahora estaba haciendo una revocación total y enseñando que la pobreza era una calamidad inventada por los ricos. La aguja dio media vuelta y entró por la parte posterior del camello . . . una maniobra impresionante de los nuevos caballeros del Evangelio. ¡Premio Nobel de Paz! Esto no es una profecía ni una epístola de la preferencia de una Cristiandad elitista. Su objetivo es condenar a los ricos, a las industrias apocalíticas multinacionales que trajeron de vuelta la peste del hambre al planeta. Olvidan a los pobres ricos humildes en el corazón y a los pobres que nacieron con el espíritu de barones.

Olvidamos que cada hombre vino al mundo con las facultades y los instrumentos adecuados para ganarse la vida. Si no como los lirios de la pradera y los pájaros en el cielo, por lo menos como las abejas y las hormigas, los peces, los crustáceos en los mangles y batracios en los lagos. Olvidamos que la naturaleza es bella y rica en recursos. En vez de apedrear a los ricos, sembradores del hambre, lo que se necesita es despertar en los pobres los talentos latentes para ganarse la vida con el sudor de la frente. Hasta ahora no se ha visto nunca una abeja pidiendo limosna a la orilla del camino. Tampoco hormigas sin hogar que intentan apoderarse de los hormigueros de los demás. O langostas marxistas que predican la redistribuición de bienes. Los críticos de los ricos deberían enseñar a los pobres el poder del sudor y la magia del trabajo. El milagro de una semilla que nació porque alguien decidió sembrarla. No hay riquezas en el mundo, no existe nada en el mundo que pueda oponerse al sudor desparramado sobre la tierra en la cual "sembrando, crece todo . . ." Se le dice a la tierra: tomad y comed, ésta es mi sangre, que será derramada por un pedazo de pan.

Existe un método sutil en el arte de pedir limosna. Lo que obedece a un simple razonamiento y deducción ilusoria. Sólo los hombres son capaces de hacerlo. Además de los gatos y perros, pero sólo después de aprenderlo de sus dueños. La premisa universal es que siempre hay alguien que se complace en dar limosna. Dar por el amor de dar. O porque lo disfrutaron y se aficionaron al suplicante. Lo que importa es la expresión en el rostro de quien lo recibe. El resto no interesa. Ya se necesite o no. De hecho, hay una efusión del alma de quien da, tanto a quien no tiene como a quien tiene. El Libro de Job está escrito inconcientemente en el corazón del hombre. En verdad, sin esa inscripción psíquica, no existirían los libros. Otros animales, que no piden ni reciben limosna, deben luchar desde el primer aliento hasta el último para evitar morirse de hambre. Con garra, prudencia y gran obstinación. Como el cangrejo maria-farinha en las playas del Noroeste.

Poner fin de una vez por todas a la mística que la pobreza conduce al cielo no es difícil. Los países nórdicos apenas la reconocen. Uno no se divierte con el frío, la nieve y el hielo. Los pájaros del cielo parten para climas tropicales Y los lirios del prado se esconden para hibernar. Buda se escapa. Imposible sentarse con las piernas cruzadas a la orilla de la acera.

Es hora que retrocedan las cosas. Debemos tener el valor de declarar que es más fácil que un camello pase por el ojo de una aguja a que se salven los pobres indolentes. Oíd a Cristo condenando a los Fariseos: "¿Por qué alteráis a la mujer? ya que ella ha hecho mucho bien sobre mí. Vosotros tenéis siempre a los pobres, pero no siempre me tendráis a mí". Es necesario apuntar que Cristo no diferencia entre los pobres por preferencia y estilo de vida y los desafortunados sin tacha que cayeron en la pobreza. A la cual fueron encadenados. Sin saber cómo escaparla pero perseverando en el arte de ganarse el pan de cada día. A los demás, sin embargp, les falta la menor intención de perseverar. Ninguna riqueza del mundo les haría abandonar su vocación. La sociedad tiene la obligación de despertarlos y demostrar la necesidad del confort y la belleza del bienestar. Y arrojar a la basura el mito de los pájaros y los lirios. Distinto al Predicador en el monte. Después de todo, no es así. Si es verdad que ni siquiera Salomón se vistió alguna vez de esa manera, y que ellos no tejen ni cosen, el Mesías olvida que el progenitor de los lirios labró noches interminables y días largos para ver a su hijo vestido de ese modo. De hecho, el morado representa un sueldo generoso para una modista de la corte. Tampoco es verdad que el Padre Celestial interceda para alimentar los pájaros de los cielos. En todas partes del mundo tienen que levantarse temprano y trabajar duro de la noche a la mañana en busca de alimento. De lo que uno puede concluir que el Mesías exageró algo, naturalmente con las mejores intenciones, exponiéndose a interpretaciones erróneas y peligrosas. Porque Él no le predicaba a nadie: ¡no trabajéis! Simplemente decía: Ocúpate de hoy, deja que mañana sea lo que Dios quiere, como lo hacen los pájaros en el cielo y los lirios del prado.

Capítulo Tres

Descubrí que esos hippies en realidad no eran fornidos, maleantes violentos, Ángeles del Infierno, demonios en dos ruedas que recorrían carreteras en sus motocicletas, asustando a todo el mundo, atacando, violando, robando, con el orden público incapaz de no hacer nada, ni siquiera a los bohemios insolentes que reclaman ser poetas y predican cosas bárbaras, o simplemente los vagabundos que eran un desafío en vivo a cualquier tipo de orden, respeto, limpieza y labor con sus eructos épicos y tronantes, escupiendo chicle en el rostro de las personas, carraspeando flema en la acera, apresando a mujeres incautas y llevándolas a sus enamorados, o aun intelectuales reformistas o malcontentos de toda índole y variedad que comenzaron a extender las reglas y anti reglas por todas partes del manual de la buena vida, sus costumbres, derecha e izquierda, , a su manera y de nadie más. "*Vive la merde! Citoyen, il faut épater Madame, La Manière!*"

En Woodstock escupieron en la cara de las épocas y tradiciones, todo lo que la civilización había establecido como seguro y apreciado y que la sociedad consideraba sagrado y santo. La orden del día era enfrentar a los "conformistas", enterrar vivos a todos los que se oponían a sus atrocidades.

Comprobé en seguida que éste era un pueblo distinto. Por sus costumbres, su manera, su refinamiento y cortesía. Músicos, poetas, dramaturgos, sacerdotes, monjes, dos monjas, dos o tres seminaristas y un judío con el cabello rizado y trenzado. Como los esenios en los días cuando Cristo sólo era un bohemio loco.

Se dice que Beethoven había concebido la Sexta Sinfonía al lado del océano. Shakespeare escribió *La tempestad* escuchando las olas. Existía entre ellos una noción profundamente arraigada que una vez que se libera la voz humana, no se pierde nunca más. Era la voz de Cristo del Sermón del Monte que sacerdotes vestidos de civil, monjas y seminaristas perseveraron en abrazar su causa. Listas sus grabadoras diminutas, los ojos cerrados. Los dedos erectos como antenas.

Una vez alguien comprendió clara e indudablemente a Cicerón mientras engatusaba a un colega senatorial: "*Quosque tandem abutere, Catilina, patientia nostra? Quandiu iste furor tuus nos illudet?*" La elocuencia afectiva con la cual se declamó, el tono de voz y la riqueza de modulación en la pronunciación de los diftongos en *quousque* y *quandiu*, todo ello capturado y grabado al pie de la letra para el deleite eterno de aquéllos que cultivan la lengua muerta. El pueblo ha loado la acústica del senado romano. Y los apartes humorísticos que combinaron la sagacidad y el sarcasmo de *patres conscripti*, la hermosa designación para los senadores, héroes excelentes de armas, debidamente reclutados para prestar servicio a la patria en los campos de la ciencia o la batalla.

Qué hermoso fue el modo de dirigir la palabra de los romanos, por casualidad tan bien preservado en nuestra época. Un juicio del senado muy bien podría recaer sobre una segunda presentación del Lejano Oeste. "*Patres conscripti!* ¡Su excelencia es un hijo de puta!" Y otro: "*Patres conscripti*, la deshonra de un senador sólo puede quitarse lavándola con sangre. ¡Bang! ¡Bang! ¡Bang!"

Pero la Ley, que iguala a todos, respeta la dignidad de nuestro noble *Pater*, elegido bajo amenaza de tiranía. Oh, papanatas . . .

¿ no has oído hablar nunca de una señora llamada Doña Hambre, reina por acá? La Amenaza, de sólo mencionarla, nos asegura la elección del nuevo Pater, a quien la Ley otorga, además de otras cosas, el dividendo de la inmunidad. De ese modo, la Ley participa en masturbación y suicidio, ofreciendo el paraíso a los mismos que la deforman, la violan y la asesinan. ¡Kirieeleison! ¡Libradnos, Señor, de nuestros senadores!

Alguien logró sorprender a Demóstenes con guijarros en la boca. Domando el choque de las olas para llegar a ser el orador más famoso de la antigüedad.

Desafortunadamente, no hay evidencia de la voz de Cristo. Ni de la plebe gritando. "¡Queremos a Barnabás! El judío también había abandonado su puesto, desilusionado e infeliz. Había pasado un año entero sin éxito de oír la voz de Jehová dictando los mandamientos y entregándole a Moisés las Tablas de la Ley. Volvería más tarde. La fe de Abrahán nunca muere en el corazón hebreo. El momento épico de la historia judía tenía que ceder a sus oídos siempre atentos. Lucha, lucha, Jacobo, hasta que se rinda el ángel.

Los sacerdotes no se frustraron nunca. ¿Cómo podrían hacerlo, los que viven para sembrar la fe? Las monjas levantaron los brazos y extendieron sus delicadas manos hacia el cielo. La más joven de ellas parecía gitana. Llevaba lápiz de labios claro. Además de aretes y collares bajo el sombrero imponente de una hermana de caridad. Una gran monja. Debajo, sus senos gallardos empujaban contra el hábito, tratando de ganar la libertad de proclamar la magnificencia del Evangelio. ¿Qué pagano en el mundo podría resistir la epifanía de tales senos?

El seminarista saltó a la roca más alta y se apostó allí, lo más cerca del cielo, las piernas extendidas y descalzo, en posición

capoeira. Su viveza no logró atraer la benevolencia del Todopoderoso, ocupado en una discusión seria sobre los justos arriba
en el cielo. No apareció ni un solo ángel para calmarle la cabeza
que empezaba a sangrarle o por lo menos alabar su equilibrio.
Esas convicciones ordinariamente mueren así nomás, sin llamar
la atención del Altísimo, acostumbrado a la rutina del ayuno y la
auto flagelación. En otras palabras, como decir que el Reino de
los Cielos no cede a subterfugios.

Allí, nadie hablaba con nadie. No se veían ni tampoco se
comunicaban entre ellos, como si los demás no existieran. Ni
siquiera yo, inmóbil y contemplando maravillado lo que veía.
Entonces surgió un disturbio entre ellos. Era la toma de Troya,
nada menos, que el hombre docto de sombrero de ala ancha
había captado en el momento. Sin embargo, su compañero negó
esto resueltamente; era la destrucción de Sodoma y Gomorra,
sin ninguna duda. Otro se situó entre los dos, gritando, gesticulando, preparando un golpe como para romperles los dientes
a los dos e insistiendo que todo el bullicio sólo podía venir de la
Torre de Babel, o si no, de la quema de Roma. El sacerdote, quien
era gordo y tranquilo, sentado en su rincón, inclinando la cabeza
y opinando tan sólo que también podría ser la decapitación de los
santos inocentes o las madres egipcias lamentando la muerte del
primogénito.

Proseguí en mi camino, más bien angustiado por lo absurdo
de las opiniones divergentes sobre tales momentos dolorosos
para la raza humana, cuando de pronto me pareció oír una voz
baja y solemne que repetía dolorosa:

"¡Eli! . . . ¡Eli! . . . seguida por palabras indistintas en la lengua
siria que sonaba como arameo antiguo.

Pensé a mis adentros: "Tal vez tuvieran razón. Aunque no

comprendieran nada. Quizás toda la historia humana se perdió en partículas de sonido flotando en un espacio desconocido para nosotros".

Capítulo Cuatro

No fui más lejos. En ese momento no hice absolutamente nada, creyéndome ser la víctima de sugestión colectiva. Como he dicho, no sabía cómo había llegado a terminar en ese lugar. No creo haber alcanzado lo que los corredores llaman "subidón del corredor". En lo que después de quince o veinte minutos la mente se expande y se eleva y nos sentimos arriba de nosotros mismos, la cabeza parece volatizar, y el cuerpo empieza a volar. El paso se hace liviano, las piernas apenas tocan el suelo. Nos sumergimos en una atmósfera en la cual ya no sentimos el cuerpo. La mente lleva el cuerpo en alas etéreas y vuela en una dicha potente e indescriptible. Voces en las alturas parecen llamarnos por el nombre, conversar con nosotros como si nos conocieran del más allá. Todo un amalgama de sensación inefable que eludiría la pluma más brillante y la imaginación más ingeniosa.

Confieso eso a sabiendas. Nunca alcancé ese estado de pura dicha. Aunque me fuerce como un asno que aspira a volar. Y hubo momentos cuando sentí estar a punto de transcenderme. En casi-casi elevarme más allá. Tomaba unos pequeños saltos catódicos, unos empujes equinos, raros en la naturaleza pero serios en intento, de cualquier manera ridículos a quienquiera me viera. Falleciendo por mi entendimiento para levantarme al aire. Sorprendiéndome cuando dije en voz baja:

"¡Oh mente, ve! ¡Aprésame! ¡Por lo menos por un instante!"

Sin efecto, nada, nada. Mi mente paquiderma permaneció flácida, lenta y sin ardor. Rechacé el impulso de volar. Porque una voz me habló al oído sin que pudiera identificar lo que era, ya sea un ruido de las olas, o los orbes, con la mezcla de voces confusas.

Sabía que el Ceramista, cuando Él me creó, estaba cansadísimo, ya que me dejó todo torcido y fuera de lugar. Y Él sin aliento. En vez de entrar por las ventanas de la nariz, escapó por la frente. Aún niño, era más calvo que mi abuelo. Quien, como yo, había salido asimétrico de pies a cabeza. Con un ojo castaño y uno negro. El izquierdo podía ver a la distancia, el otro de cerca. Un pie caminaba hacia adelante, el otro, de costado. Un lado de la cara provenía de mi padre, el otro, de mi madre. La frente, la mejor de los tres, pertenecía a un tío que masturbaba. Sincero. Resuelto. Altivo. Prisionero de su éxtasis. Orando y viendo imágenes lascivas ante él. Los cielos abriéndose por la obra de sus manos. Había escrito tratados filoteológicos sobre ello. Se encontró una obra póstuma dentro de una almohada. Consideraba el orgasmo algo sublime y sagrado, no compartirlo con nadie. Murió virgen, sepultado por vírgenes que lo adoraban en vano. Al día siguiente, su tumba amaneció cubierta de hermosas mariposas amarillas batiendo las alas. Pertenecían a la nueva orden de mariposas, hermanas de la masturbación. Algunas partes, exclusivamente mías, se achican al por menor, colosal al por mayor. En general, todas provenían de los tipos más diversos y variados de la familia.

Ahora, mis piernas dejaron huellas de asno en la arena. Los pulmones labrando como locomotora a vapor. Los labios encendidos, las ventanas de la nariz humeantes. El viejo promotor de sangre desesperado y bramando "¡Basta con esa mierda!" Lo que realmente me escandalizó. Mi corazón siempre cortés y respetuoso nunca había sido profano ni hablado así. A menudo recordaba a La Fontaine que repetía *"Tu n'as pas d'ailes et veux voler, rampe!"* Lo que, indudablemente, yo merecía oír. A quien le faltan las alas y quiere volar termina comiendo lodo. Me detuve para meditar la venganza de mi debilitado corazón.

La realidad es que nunca había creído ese cuento de remontarme en las nubes. Y a decir verdad, ninguna voz me llegó nunca a los oídos para invitarme a volar. Al contrario, para no pugnar con los epicúreos, simplemente digamos que yo casi, casi alcancé ese estado sublime, sintiendo de vez en cuando algunos tenues efectos de esa dicha vanagloriosa que basta para hacerme olvidarme a mí mismo y pasar el punto de retorno. Debe haber sido eso, estoy seguro que así fue.

Capítulo Cinco

Noté que la larga y pintoresca playa se curvaba otra vez y se encogía, como si deseara impedirme el paso. Rocas enormes empezaban en el océano y se acercaban a la playa, en una procesión de piedras deformadas y lisiadas nacidas en las aguas profundas del mar, estrellándose en las olas impulsivas azotadas en un frenesí por el viento, levantando las voces, alzando los brazos y sacudiendo las faldas. Parecían amas de casa enojadas peleando en un mercado al aire libre, tratando de prevaler armando una pelea y gritando lo más fuerte. Olas y viento, girando, girando, en embestidas pelvianas y lujuriosas, o simplemente trotando en una elegante cuadrilla. Más tarde, los vientos partieron y las olas se aplastaron, abandonadas y aceptuosas. Murmurando suavemente lo que fuera en su idioma. Hasta que ellas también se fueron, dejando atrás las rocas, una vez más dueñas del paisaje.

En ese momento apareció un sol furtivo, el rubio alemán de los orbes. Enamorado del color del trigo, aunque era del color de las rocas. Una criatura simple, sin embargo, a pesar de toda su pompa y esplendor. "Aburrido de su bóveda dorada, lamentó no haber nacido una simple luciérnaga", en la poesía de un gran formador de palabras de estas regiones.

Tampoco resistí. Me metí en el mar con grandes brazadas, ansioso de estirarme en las rocas. La más grande y la más bonita de todas, morada, lisa, recostada. Obra maestra de una roca en contraste con sus vecinas. Monstruosa, encorvada como Cuasimodo, ferina, como arrecifes pardos, la rectoría embrujada de cangrejos del noreste.

Me asaltó la aprensión en ese momento. Para cerciorarme que estaba solo, miré alrededor mío. La aprensión desatinada me asalta a veces, creyendo que alguien está conmigo. Me acosté, crucé las manos sobre el pecho. Cerrando los ojos, comencé a vagar por todos mis sentidos fatigados. Y terminantemente, dejé a un lado la filosofía grotesca de corredores transcendentes.

Capítulo Seis

Al principio no pude diferenciar el sonido que provenía de las olas en las peñas del susurro de los vientos. No estaba seguro si estaban reanudando su letanía eterna o ya sea que fuera un vestigio de voces fracturadas en la cúpula del Cielo. Pero se aclararon. Muy lentamente cambié de posición al otro lado del peñasco. La vista era asombrosa. Yo estaba incrédulo, pasmado, muerto de sed y bizco. Porque allí vi un tiburón enorme sin descripción, un tiburón gris descomunal, mitad del cuerpo fuera del agua, arriba de las aletas, hablando, gesticulando en una charla muy entretenida—con una lombriz tonta. Algo insignificante. No obstante, tan hermosa como podía ser. Acostada, relajada, y segura de sí misma, expuesta a los besos del alemán rubio de los orbes, adicto a la tez oscura.

Byron una vez dio gracias a los cielos por la falta de una metáfora para el pie y el tobillo de una señorita de Cádiz. Y yo, ¿a quién debo dar gracias por no tener una sola imagen capaz de describir la lombriz más bella del mundo, cuyo pellejo y movimiento nunca tuvo sus pintores, y desafiaba a escultores, se burlaba de poetas? ¿Dónde estaban los Gauguin de mi tierra? ¿Los Di Cavalcanti? ¿Los Cicerón Diases? ¿Dónde estaban los pintores geniales cuando falta uno? ¿Y los poetas? ¿Dónde están las personas como César, de Accioli, Francisco Bandeira? ¿Dónde están Déborah y Lenilde, las grandes damas de la poesía de Recife? ¿Qué haces, Francisco Brennand, con tu genio ardiente, tu poema épico en arcilla? Suspendí mis apóstrofes inoportunos para concentrarme en el diálogo más prosaico que presencié jamás.

"¿Estás casada, pequeña?" preguntó el tiburón en una voz impetuosa y rica.

" ¿Yo? . . . ¡Oh no! . . . Por lo menos todavía no . . ."

Mis ojos dejaron de pestañear, a zumbar mis oídos, en mi cabeza un sentido de lo absurdo no tenía consideración por el buen sentido. El hijo de Doña Filomena me estaba afectando la mente, sin lugar a dudas. ¿Qué visión, qué voces me nublaban el espíritu? Me froté los ojos, preguntándome qué clase de burla era, si me estaba tomando por tonto o no. Ellos, irritados, protestaron al unísono: "¡No mentimos nunca!"

Arrogancia de mis ojos. Ciertos inquilinos a quienes estimo y que viven en el último piso del edificio, se pasan el día con sus binoculares apuntando al mundo, husmeando y anotando todo con la precisión de contadores, pero sí o no, había una pequeña serpiente.

Recordé que de niño, jugando solo en la arena de la playa, mi madre, seria y preocupada, me advirtió: "¡. . .Ten cautela, hijo mío, con la canción de las sirenas!" "¡¿Qué son sirenas, madre?!" "Sirenas del mar, hijo mío. De la cintura arriba tienen el cuerpo de una mujer bella, el pelo largo flotando en el agua; de la cintura abajo, la cola de un pez enorme cubierto de escamas. Cualquiera que no huya de su canción es arrastrado a su castillo al fondo del océano . . ."

La fascinación que despertó en mí tuvo el efecto contrario, y desde entonces daría lo que fuera para ver una sirena. ¡Cómo quisiera que una de ellas me llevara a su castillo dorado en las profundidades del mar! . . . Más tarde supe que, en vez de amor, ofrecían inmortalidad (¡Esto para mí, que tenía tanto miedo de morir!) Como Calipso le había propuesto matrimonio a Ulises, y él dijo no, griego loco que era. Podría haber beneficiado de un transplante completo cerebral.

Ahora yo, un hombre maduro, barbudo y todo, ¿estaba oyendo eso en realidad? En verdad, era una lombriz que sólo se ve una vez en la vida. Una voz cromática, melodiosa, con cuerdas doradas que vibran. Algo insegura de sí misma. Moviéndose despacio, petrificada. Una jovencita inocente en su primer noviazgo. Una carnada sumamente curiosa. Me puse cómodo para no perderme una palabra del diálogo transcendental. Permanecí infinitamente inmóvil, pensando quedarme allí sólo para tomar sol, nada más, nada menos. Entonces oí las palabras provocativas del tiburón:

"¿Cómo puede ser, pequeña? ¿Cómo pueden dejarte aquí sola los varones? Con ese cuerpo de muñeca, esa piel de amapola? ¡Basta para enloquecer a la gente, pequeña! ¡No puede ser! ¡No puede ser, no lo creo!"

"¿Pequeña?" ¿De dónde salió eso? La expresión y el trato, el modo de hablar? La lengua, completamente extendida, empezó a golpearle el paladar en una fiebre incontrolable de deseo. Descarado, sin vergüenza, el tiburón. Fue realmente aparente que era uno de ésos que no tenían respeto por las hembras. Aun mezclando tareas cotidianas con el ocio habitual, y adonde quiera que fuera y a cualquiera que encontrara, allí desempeñaba el papel del farolero y del payaso. La lombriz, por otra parte, sonrojaba. La sangre le brotaba por las venas, suspendida. Sin saber cómo extraerse de esa situación. Por fin, con dificultad, sonrió, y se le soltó la lengua de una vez por todas:

"¿Yo? ¡Ja! . . .Pobre de mí, que no sé lo que es estar lejos de casa. Si piso afuera, mis hermanos se me caen encima. Soy una 'cabeza hueca', dicen, que nunca piensa y no tiene sentido común.

No me perdonan nunca por nada en la vida, desde el día que me escapé de casa y entré en un concurso de belleza. Desfilé en la pasarela. Y fui coronada reina. No he olvidado el aplauso que siguió. Casi me hizo desmayarme. Los aplausos. Las luces que me hacían brillar. Los silbidos y las hurras. Me abrazaron, me besaron, me lanzaron al aire. Después desfilamos por las calles y un grupo de mujeres extranjeras me aplaudió todo el tiempo y formó un bloque, bailando samba y cantando como si fuera Carnaval en su tierra. La gente en un delirio tratando de marchar con la música y los pasos delirante:

Nosotras, nosotras, nosotras,
Nosotras las lombrices
Aquí en la Tierra, tomamos las riendas,
Y cuando las cosas se ponen difíciles,
Son las lombrices que más les agradan.

No hay que avergonzarse
Sentíos libres de mostrar vergüenza
Vuestro botín
Porque para el señor
Acaba de cambiar la vida
Para nosotras, para nosotras . . .

Todo Recife quiere abrazarnos
Las pequeñas lombrices
Y cuando nos ponemos en marcha
Es un éxito seguro que realmente les gusta.

"Levantando el pecho y extendiendo los brazos en el movimiento febril del samba, rompieron en otra melodía:

Lombrices, somos brasileñas
Vivimos sólo bajo una bandera
Cantemos y vivamos nuestra gloria
¡Lombrices! ¡Lombrices! ¡Lombrices!

"La gente aplaudió, pidió bis, y aprendió de memoria sin comprender lo que cantaba.

"Echo de menos las canciones y mis colegas brasileñas. Felices, libres, con el alma en las manos. Me abrieron un mundo que desconocía. Recibí incontables propuestas de matrimonio . . . gente pobre, gente rica, un general, hasta un senador, viejo, barrigudo, rengo de una pierna, agradable como el diablo y descarado como no se vio jamás.

"En medio de todo eso, flores, abrazos, besos, me reí y lloré de dicha. Ah, nunca olvidaré esa noche. Cuando cierro los ojos, todo me vuelve en la memoria, como si estuviera allí en ese instante, las mujeres brasileñas cantando y bailando en las calles". Por unos instantes, la lombriz realmente sí cerró los ojos, permitiéndose ser arrebatada por el sueño de su vida. Tenía el alma de una mariposa y quería ser bailarina. Se imaginaba en las tablas dando vuelta, dando vuelta, embelesada, dejando sólo una sombra en una transformación de materia superando gravedad y elevándose al cielo.

"Al amanecer", continuó después de un largo suspiro, "cuando pisé en casa, mis hermanos me esperaban en la puerta. Me desollaron viva. El chico que me trajo sufrió una paliza que casi lo mata. Pobrecito, alto y delgado. Luchó como una bestia contra los tres. Evitando y devolviendo los golpes. Sangraba cuando se fue. Nunca olvidaré a Diolito, su valor e intrepidez. Nos encontramos dos veces más, escondidos en la oscuridad. Con temor de ser descubiertos. La tercera vez, el menor de mis hermanos, el peor de todos ellos, nos pilló. Me hicieron papilla. Esa misma noche intentaron abandonarme en un convento. Después de mucho hostigamiento, 'Golpeadla, golpeadla, no tiene sensatez', concordó mi madre. Iban a encerrarme en pocos días. En el lugar más estricto que había. Ni siquiera podía escoger qué orden.

"Lloré noches enteras, remojando la almohada. Mi suerte. Mi destino. Quería morir. Más tarde, muy paulatinamente en lo hondo de mi razón. Comencé a fingir, fingiendo que estaba convencida, mirando el convento como algo santo y hermoso, apropiado a mi naturaleza. Fui más allá. Me preparé la cara, tanto adentro como afuera. Expandí la expresión, adopté una mirada mística. Sonriendo con los ojos, apretando los labios. Les hice creer que había nacido en mí la vocación de ser monja. Que la vida de una virgen dedicada a la oración y cosas superiores ahora me atraían. De noche, oía esa voz. Aun soñando, oía, '¡Ven! ¡¡Ven!! Llamándome al monasterio para cambiar mi vida. Sería mi destino. Sólo entonces sería feliz.

"Estaban convencidos. Me sonreían por primera vez en mi vida. Me llamaban 'Doña Freira', 'Sor Monice', 'mi hermana la monja', o '¡hermanita del corazón!' Hasta mi madre se alineó. Me abrazaron. Me trajeron dulces y flores. Amigas y vecinas hicieron lo mismo. Me regalaron un hábito carmelita y me persuadieron usarlo. Por un mes entero. Por un mes entero la vida Carmelita, allí mismo en casa. Con ayuno, meditación y todo.

"Hice todos los preparativos, hablé con monjas que alabaron mi vocación y me esperaban ansiosas. Comencé a despojarme de vecinos, amigos y conocidos. Me reuniría con Diolito. Escondernos en un rincón, vivir con él en cualquier parte del mundo. Le escribí dos mensajes detallando todo, día, hora, lugar dónde encontrarnos. No respondió nunca. No sé si los recibió. No volví a verlo nunca más. Ni podía imaginar qué fue de él. Si murió o todavía vive, si me envió una nota, mis hermanos la habrían destruido y perseguido a él. Mis hermanos son animales no domados, unos salvajes. Como si yo fuera su hija. Peores que mi padre, quien abandonó a mi madre cuando yo era pequeña, Si no fuera por mi madre, habría muerto en las manos de ellos.

"¡Una noche feliz, una noche desdichada, el concurso de belleza! Estuve prisionera todo ese tiempo. El peor castigo en la vida es los celos de un hermano. Mi padre era un médico que peleaba mucho con mi madre, pero nunca me pegó, nunca. Mi madre, también, tan cariñosa, excepto cuando le doy motivo".

El tiburón no supo qué decir. Hizo un movimiento vago con la cabeza, ya sea para demostrar solidaridad y compasión, o simplemente de contratiempo y sorpresa. De hecho, completamente conmovido y afectivo. Mientras tanto, ella continuó en el mismo tono.

"Había llegado el gran día. Me levanté temprano. El presentimiento siempre conmigo. Me despedí, llorando, abracé a mi madre, y sollozando les rogué que no me siguieran. No quería que me vieran llorando en la calle. Me concedieron mi último pedido de mala gana.

"Tomé el sendero de la costa. ¡Pero ay de mí! En cuanto pisé la playa me atrapó una ola y terminé aquí. Casi me aplastaron las peñas. Ahora, sin ninguna idea de lo que será mi vida, cómo puedo volver cuando caiga la noche y suba el mar. Seguramente van a pensar que me escapé. Y si encuentran a Diolito, pobrecito, si todavía está vivo, lo matarán a golpes. Es como si pudiera verlo, en una lucha hasta la muerte, bravo como un toro, enfrentando a mis hermanos".

"¡Mira, mi pequeña, no te inquietes! Ahora estás conmigo, y en estas partes yo soy el rey. ¿Ves mi tamaño, mis músculos? ¡Nadie puede hacerme frente!" (Hinchó el pecho, flexionó las aletas, exhibiéndose como un hombre fuerte del circo, dio unos saltos mortales, y se detuvo mostrando los dientes.) "Cuando levanto la cola", continuó, hasta las olas huyen aterrorizadas. No temas, pequeña, nadie aquí te quitaría de mí. En cuanto a tu gente de vuelta en casa, bueno . . . Te llevaré de vuelta y hablaré unas palabras con esos hermanos tuyos. No pienses en eso por ahora . . . ¿Qué te parece un paseo corto por la playa? Salta a mi hombro y en un instante estaremos en uno de los lugares más pintorescos de la costa. ¿Qué opinas?"

Y estaba a punto de pasarle la mano sobre el cuerpo. Ella retrocedió. Y él se reprendió, pensando que había actuado demasiado rápido. En conquistas amorosas, lo más importante es no ir demasiado rápido. Siempre olvidaba eso. Abrió la boca y allí fue la mano arruinando todo. Advirtió que ella seguía agazapada, su expresión todavía algo desdichada, ausente, diciéndose algo en una voz pequeña y muda por largo tiempo, lo que lo torturó con crueldad, viéndola inmóvil, perdida dentro de sí misma.

La mente le empezó a deambular a través de un mundo de aprensiones, un pasado perdido, tan lejano que no era de ella, todo lo que su madre le había dicho de niña, volviendo en un remolino de recuerdos tanto felices como penosos.

Capítulo Siete

La voz venía del pecho, de repente, hablando ahora con los ojos fijos en él. Interpretando esto como una señal, se acercó con el pretexto de oír mejor.

Era noble, su sangre azul provenía de los orígenes del mundo. El primer animal que apareció en el planeta. La crisálida en que se transformaron las plantas. Ella descendía directamente de la primera mujer, a quien el Gran Kirios le dijo: "¡Que haya lombrices!" Como una princesa de los animales de la tierra. Parte de una clase superior de la cual venían los camaleones, los lagartos, hasta las serpientes, primas arrogantes, envidiosas, mentirosas, llenas de malicia y veneno en la boca. Traicioneras como nadie, a causa de ellas entró la miseria en el mundo. El misfortunio entró al mundo. ¡Cuidado!

Nos incumbe decir, sin embargo, que el cerebro de todo ello fue Eva, con su genio de inventar y fantasear cosas. Contar historias. Sí, sus cuentos inolvidables. Fascinantes. Lo que dejó marcas imborrables en el alma de las personas.

Eva contaba historias. Al fin del día, para entretenernos, toda la gente, animales, mosquitos se sentaron para escuchar. Hasta los árboles se callaron, reprimiendo el más leve suspiro. En su hermosa voz, su lenguaje florido, trazó en el aire lo que contenían sus palabras. Los niños y los animales gritaban, exigían más, y las personas mayores aplaudían dándole aliento.

"¡Bravo, Eva! ¡Bravo! ¡Bravo! ¡Cuéntanos otro, tía Eva, cuenta! Y la jirafa, picando una cosa u otra, levantando el mentón, con-

cluyó nasalmente, "¡Cuéntanos! ¡Cuéntanos, mujer! Y el asno,
inventor del pedido a la repetición, rebuznaba tres veces. Todo
con una impertinencia espantosa.

Como no había nadie que pudiera aguantar el discurso tedi-
oso de los grillos y las cigarras, alternando sin pausa con las
orquestas de sapos escondidos en la maleza en un intento fútil de
reemplazar los pájaros cantores y entretener al fin del día. Éstos
eran socios del gremio que les prohibía cantar de noche. El búho
también tenía carnet de socio, pero todos odiaban su voz y estilo,
y de un rechazo a otro, el desafortunado pájaro tuvo que aceptar el
turno de noche, que nadie quería, pero aun así, sólo podía cantar
cuando todos los demás ya dormían. Sin la menor pérdida para
nadie, ya que ni un solo animal se quejó, siendo su voz un triste
augurio, parecido a un alma en pena, embrujado por fantasmas y
pesadillas. Alguien se despertó asustado y le echó piedras. Huyó.
"Vete a cantar así en algún burdel, tú inservible presagioso", gritaron voces furiosas. El pobre animal evitó el apedreo, hasta que
una roca le pegó en la cara y le quebró el pico. La gente sensata se
opuso, alegando que no era algo que se hace a un animal que no
hace daño a nadie. Vieron un portento en la mirada siniestra del
búho, le llamaron la sibila nocturna, portadora de mensajes de
infortunios futuros. Símbolo viviente de la sabiduría. Lo que es la
causa, llena de ese mismo espíritu, porta voces de aprendizaje de
mal presagio y profecías, los filósofos modernos exhiben su efigie
con orgullo en los dedos.

Nadie podía relatar cuentos como Eva con su modo excepcional de imaginar y pintar las cosas. Cuatro, cinco, seis cuentos por
noche no eran suficiente para satisfacer las exigencias. A veces
hablaban toda la noche y continuaban al día siguiente. Ella se
cansaba, la garganta seca. La gente se precipitaba para llevarle

agua de coco, jugo de mangaba, o fruta de la pasión. Los niños y los animales más pequeños, siempre molestando, pidiendo otro, otro más. Porque siempre eran los niños que querían oír cuentos sin cesar. Agotado el repertorio, Eva inventó la idea de "representar" los episodios que relataba, prefiriendo animales y niños a los grandes. Lo que resultó en crítica severa y sin una cantidad pequeña de enemistad. Intentó involucrar un número mayor de personas y animales. De este modo estaban satisfechos con una sola presentación por noche. Fue así cóm se creó el teatro, una forma de entretenimiento. Primero al aire libre y cuando llovía, en cuevas. Los animales con talento llegaron a ser figuras importantes, o "estrellas" aclamados y buscados por el pueblo cuando pisaban afuera. De este modo, el loro y el mono alcanzaron grandeza. Más tarde, otros—más lerdos y vagos, pero determinados a dominar el arte—por fin fueron reconocidos y aplaudidos. Hasta un búho mestizo tuvo su papel agradable. Con su magnetismo personal y flexible, fue un triunfo en el escenario. Sus ojos y su canción sonaron en las oscuras noches en las cuales se combinó todo para transportar al público a un mundo de revelaciones. Representó el alba del tiempo y el apocalipse. Su voz gimió en el barullo de la muerte, un coro de dos voces declamaron la tragedia, mientras un tercero, en *bouche fermée*, expresaba la emoción y el suspenso que invadía todo. Con su talento para convocar sueños, invocar cosas que eran y no eran y llegarían a ser. O como tales, no llegarían nunca pero se harían visibles y palpables en la melodía grave de su canción siniestra. Y por medio de esto, verían en él eventualmente la encarnación de la sabiduría austera.

Entre las estrellas, la más talentosa, la prima donna de las tablas fue naturalmente la lombriz, envidiada por la serpiente, aplaudida por el Gran Kirios y besada en la mejilla por Adoné cuando ésta cortejaba a Júpiter, el Señor Kirios del Olimpo. Al oír hablar del teatro donde brillaba como estrella una lombriz, asistió con Adoné, deseoso obstinadamente de llevarla a Grecia. Júpiter, quien entonces se llamaba Zeus, copiaba todo para enseñárselo a los griegos, su pueblo escogido en la Tierra para sobresalir en todas las artes y ciencias.

Eso, sin embargo, sería mucho más tarde . . . (El tiburón aquí hizo un aparte para decir que su primo, el delfín, se destacaba en el atletismo y todo tipo de magia. Además de su obra humanitaria de salvar a ahogados, al desagrado de la mayoría, quienes vieron en ello una tendencia izquierdista. Los delfines eran sinceros en lo que hacían y eran considerados por todos como los místicos de los mares, así que los tiburones decidieron que era mejor dejarlos en paz. Sin embargo, las campiones en devorar piernas y brazos eran las ballenas . . .Su primo legítimo, el mito de los mares . . .)

La lombriz dio muestras de desagrado para que no lainterrumpieran. Todo eso era verdad, pero no el momento de mencionarlo. "¡Por favor, Sr. Tiburón!"

"¡Ah! Discúlpame, pequeña, olvidé presentarme . . .Me llamo Clitorino, pero tú puedes llamarme Clito. Quizás por un defecto de la lengua que proviene de mis abuelos". (Rió embarazosamente, apretando los labios y escondiendo la lengua adentro.) La lombriz se sonrojó, el color de un carbón ardiente, diciendo:

"¡Un gusto conocerlo, Clito! Me llamo Monice . . ."

"¡Encantado, Monice! . . . ¡Disculpa la interrupción . . .!"

"¡Al contrario, imagínese! Parece un sueño, en un momento como éste, caer en las manos de alguien que se interese en mí . . ."

Sonriendo, se inclinó con elegancia y gusto sumamente refinado. Comenzando a mostrarse un atado de contradicciones, nuestro elasmobranqui con su cuerpo de torpedo y la boca de hipopótamo, ora caballeresco y seductor, ora soberbio, fanfarrón y sanguinario. Machista hasta la médula de los huesos. Ahora aún ingenioso, muy amable, increíblemente culto e instruido. Como si hubiera frecuentado las famosas universidades del mundo. Pero persistió la primera impresión: un dandi astuto en busca de una conquista fácil.

Capítulo Ocho

"Ahora", dijo Eva, "volvamos un par de milenios y vamos a contar algunos episodios inéditos en la historia del mundo. Ponéos cómodos donde estáis, ya que estamos listos para despegar", dijo jocosamente, alterando el tono para causar efecto y crear suspenso. "Aquéllos de poca inteligencia deben irse ahora, o no molestarme con ideas tontas, náusea y dolores de cabeza". Hubo cierta inquietud, un ligero movimiento de aprobación, susurros nerviosos, pero curiosos, asombrados y ansiosos de aprender más, nadie se fue . . .

"Todo era oscuridad", continuó Eva, cerrando los ojos y buscando la voz perdida en su seno, "oscuridad, sólo oscuridad en el espacio infinito, cuando apareció la primera luz. Al principio despacio. Al azar. Ese trazo de luz. Un trazo, porque no tenía cuerpo, sólo un trazo, sin expresión para describir ese pedazo de las cosas. Excepto que todavía no era luz, y nadie sabía lo que era. Simplemente era la 'Cosa'. La 'cosa blanca', indescriptible. Nadie había visto jamás nada así. Toda engreída, llena de sí misma". Le preguntó a Oscuridad:

"¿Quién eres? ¿Qué haces aquí? ¿Y qué negrura es lo que tienes por todo el cuerpo?"

Oscuridad le replicó a la cara: "¡No es asunto tuyo!" Y partió apresuradamente para contarles a los demás que un forastero misterioso acababa de aparecer, muy informado y complicado. Lo más intruso, presuntuoso, usando un color jamás visto antes. Agarrándose a todo. Distinto a ellos. Vanidoso. Una piel estrafalaria y que encontraba la suya extraña.

"'¡Eso es lo único que faltaba! . . . ¡Eso no es nada bueno!' Gritaron todos. ¿'Quién es ese idiota? ¿De dónde salió?

"No sabía nadie. 'De cualquier manera . . . hay que tener cuidado'", dijo el mayor de todos. 'Gente así, entremetiéndose de ese modo en la vida de los demás, tratando de descubrir sobre la tuya, podría ser el fin de todo. ¡Adiós a la intimidad, adiós a la paz, adiós a una vida tranquila!'

"Desde entonces, cada vez que se topaban con ello, lo miraban de soslayo, escondidos en los rincones. Cada vez que veían la 'Cosa' que se acercaba, huían, sin saber adónde se habían ido. La 'Cosa' los seguía, tratando de trabar amistad. Oscuridad no accedió, no creía en esa amistad fútil, que no permitía que le alcanzaran. Se encogía de hombros, chascaba la lengua con desprecio y desaparecía. Habitualmente ridiculizaba cualquier impertinencia expresiva. En el fondo, era inquieta. No había modo que pudiera permitirse que la llevara la 'Cosa'. Ni siquiera acercarse y descubrir quién era. Esa viscosidad, esa piel transparente irritaba a Oscuridad. Y, por desdén, se le dio el nombre de 'Luz', la designación más repugnante que se encontraba en su vocabulario. Como verdaderamente brillaba, se expandía, transcendía, de una manera chillona irritante. Aclarando todo. Desnudando a Oscuridad. La desnudez de Oscuridad era lo más sagrado que existía, donde guardaba el máximo de confidencialidad. Que Luz la violara era una confrontación, un acto condenable de impertinencia.

"Oscuridad era de naturaleza taimada, consciente de sí misma, y como existía antes que nada más, albergaba un sentido increíblemente increbrantable de superioridad en relación a los demás. Dominio de todo, incluso Luz. Quien detestaba el papel de subalterno. Y cuanto más avanzaba Luz, Oscuridad se apartaba más. Miró en su interior y aumentó la consciencia de su secreto infinito. Se enorgulleció de su piel morena. En contraste a Luz, dentro de sí misma vio la sombra de inmortalidad. Comparada a ello Luz era un fenómeno efímero, inservible y desprovisto de la densidad que poseía Oscuridad. Un mero accidente de ser. No un ser sereno en sí mismo. Ser Oscuridad, por otra parte, era ser un Ser completo, el Ser por excelencia. Un Ser verdaderamente un Ser. Ser Luz era simplemente un suceso en las tinieblas, un evento accidental y fortuito sin duración permanente. Porque de hecho nunca existió y sólo llegó allí ahora en frente de Oscuridad, que en la esfera de tal reflexión parecía que fuera un Kirios en persona, vivo, eterno, infalible, sin rival en la excelencia ni aun posible. Su soberanía se extendía a lo largo de un espacio infinito. Donde nada que no fuera oscuridad existía. Ni podía existir. Si Luz deseaba acercarse, primero debe apagarse y hacerse igual a Oscuridad. O si no, explotar de envidia. Celos. Descontento interno.

"Así Luz, enfadada, llegó a llamar a Oscuridad salvaje, ignorante, bestial. A cambio, Oscuridad la calificó de 'la cosa blanca', repugnante, odiosa, repulsiva, tonta e intrusa. Se declaró guerra a muerte. Así fue al principio. Como Rómulo y Remo cuando fundaron Roma.

"Indignada, Luz se devanó los sesos para descubrir el misterio de su enemiga. Tomó años, siglos y milenios interminables e incontables.

"Una vez, frotando dos pedazos de oscuridad que pasaban flotando, Luz vio una chispa. Frotó más y más, y de pronto la chispa se tornó llama. Y la llama era fuego, y el fuego era como una imagen de sí misma. El fuego era Luz. Fue una revelación tremenda. Una maravilla. Como si Luz se hubiera reproducido a sí misma. ¿Había nacido Luz de Oscuridad y eran hermanas? O, en efecto, ¿madre e hija? Luz iba a sorprender a Oscuridad cuando descansaba y contarle lo que sucedió, decirle que poseían la misma naturaleza. Lo cual, aunque sincero, era una enorme presunción. Segura que actuando así, daría por concluida la mala voluntad. Todo lo que logró, sin embargo, fue indignar más que nunca a Oscuridad, y viéndose atacada, huir aun más lejos. Y no había modo de acercarse más para que pudiera ser examinada. Resguardada en su bóveda infinita como un Kirios negro, diáfana y solemne, desconocida a sí misma y todo. No obstante, invencible. Sin aceptar nunca compartir su reino con nadie, sintiendo más que nunca su poder indomable. Y diciendo: '¡Nosotras, la Oscuridad, y a nuestro lado, nadie!' Y repitió: '¡Nuestra naturaleza y nuestra esencia son una e indivisible! ¡Más allá de nosotras, sólo caos absoluto!' Ni siquiera trató de comprender quién era Luz, simplemente deseando desdeñar la existencia de la irritante, contagiosa y repulsiva 'Cosa blanca'.

"Luz cayó en un tremendo estado de indignación, devanándose los sesos furiosamente por el comportamiento porfiado de Oscuridad. Sin embargo, sin abandonar y buscar a toda costa solucionar el misterio que tanto le provocó y le angustió, Luz resolvió echar manos a la obra otra vez, logrando éxito por medio de un gran esfuerzo en agrandar el fuego que además de iluminar todo, devoraba lo que estuviera a su paso. 'Ve hacia adelante, asedia la Oscuridad', dijo ella, como un rey que envía a su hijo contra el enemigo. Entonces, después de barrer el mundo, fuego volvió apagado y desencantado, golpeado por la infinita, avallasadora y monstruosa Oscuridad, que festejaba su victoria en las sombras. Oscuridad—invencible, inmortal, y más desdeñosa que nunca, destruyendo a cualquiera que se acercara y despreciando a aquéllos que le tocaran.

"Entonces Luz inventó los océanos para sorprender a Oscuridad mientras dormía. Y el fracaso fue aún mayor. Las aguas se perdieron en medio de Oscuridad, sin saber dónde estaban ni adónde iban. Fueron apuñadas, desalojadas de sus alturas encumbradas, gritando y obligadas a lanzarse sobre cataratas, inseguras de escapar vivas, destinadas a formar lagos, ríos, océanos.

"Luz, después de cada derrota, se hizo más fuerte, más imaginativa, más audaz, y más decisiva.

"No se descorazonó, y de las aguas formó vapores, y de los vapores nubles monstruosas que se amontonaron en el espacio y progresaron como un ejército en batalla.

"¡Tras el enemigo! ¡Tras ellos!" ordenó Luz . . . Al principio con más bien buen resultado. Porque las nubes no sólo persiguieron a Oscuridad sino que también despidieron relámpagos asombrosos, estupendas ráfagas de vapor que chocaron en truenos e iluminaron todo por el momento, sacudieron cielo y tierra, abrieron un claro en el centro de Oscuridad como una explosión nuclear, desenmascarando lo invisible. Oscuridad nunca había temblado tanto. Por unos instantes, vencida y destrozada, su táctica fue huir y reírse a carcajadas en respuesta. '¡Al lado de nosotras, nadie!' como si no hubiera pasado nada".

Extrañamente, Eva comenzó a incorporar visiones proféticas en estas narraciones, hablando del futuro y del pasado y viendo todo como si fuera en un álbum de imágenes y pinturas. La mejor de sus fábulas, sin duda, porque visiones del futuro, o del pasado desconocido, siempre contienen más fascinación que cualquier cosa en el presente. El Gran Kirios, sentado allí, se maravillaba de la fecundidad de su imaginación, sus visiones lúcidas y coherentes, expresándolas cuando se le ocurrían y viendo que lo que Él había creado era bueno, después de todo. Curioso de saber hasta dónde alcanzaban las visiones de Eva (Aquí el tiburón interrumpió groseramente para declarar a la mujer más imaginativa y creativa que el hombre, porque fue ella y no Adán quien conocía estas cosas, y por lo tanto era pura extorsión de parte del Gran Kirios para agradar a su esposa, Agapé. "De lo que vemos, ésa fue tu intención, ¿verdad, Monice"? Preguntó él, pero ella no respondió, como si no hubiera oído, y simplemente continuó.

"De ese modo, pasaron millones de años, con la saga continuando siempre. Luz, sin embargo, sin haber capitulado nunca, como si su naturaleza fuera abandonar a Oscuridad, tanto creada como no creada, de cualquier tipo, en cualquier lugar, y no tenía ninguna otra razón de existir, empezó a especular cómo era Oscuridad por dentro. De qué estaba hecha. Qué naturaleza enigmática poseía. Su origen. Su razón de ser. Su destino. Y concluyó que Oscuridad debe ser verdaderamente eterna. Divina tanto en materia como su naturaleza. Y como tal, dónde estaba y cómo era no tenía comienzo y nunca terminaría. Su palacio, detrás de un impenetrable velo, era una conjuración que transcendía la racionalidad más lúcida, la fantasía más fértil. Aquí, debe notarse, muchos en el público comenzaban a experimentar delirio, sufriendo dolores de cabeza. Expresiones de náusea y aburrimiento.

El filósofo alemán Novalis le preguntó a Noche si también poseía un corazón humano. "Le pregunté a Oscuridad, o a quien pudiera responder, si fue el Gran Kirios quien creó a Oscuridad, o si fue Oscuridad que creó al Gran Kirios. He aquí un misterio transcendental que desafía la imaginación misma", dijo Monice, que estaba en el poder de sus propias evocaciones.

Capítulo Nueve

Luz, después de haber logrado tal entendimiento, sintió un estremecimiento adentro. Se sintió ungida. Y tan contenta que se partió en dos. Y esos dos, en dos más, y cada una de las dos, en otras. Las nueve Luces no tardaron en caer en desacuerdo entre ellas, y con la primera que les había dado vida. Algunas disputaron que Oscuridad sí era un kirios, quien se había creado a sí mismo de la nada. Y de la nada había creado el mundo y todo lo demás. Quien continuaba, no obstante, habitando en el cielo de las Tinieblas, un palacio encantado, inimaginable a la razón y los sentidos. Que el Gran Kirios, Rey de Las Tinieblas, hastiado de su infinitud, creó Luz. Estaba embelesado y se enamoró de ella. Y, de esta feliz colusión, creó al hombre en su imagen y la imagen de Luz, dándole un poco de todo, para él y su consorte. Un poquito de oscuridad, un poquito de luz. Un poquito de odio, un poquito de amor. Un poquito de venganza, un poquito de perdón. Un poquito de afecto, un poquito de crueldad. Un poquito de ocio, un poquito de labor. Un poquito de todo lo bueno, pero no demasiado, para que no se volviera altanero, lleno de sí mismo y de ocurrírsele que era un kirios igual al Gran Kirios y levantarse contra Él.

Pero las nuevas luces siempre estaban en desacuerdo con la vieja. E inventaron otros cuentos basados en el primero. La oscuridad. Sí era un kirios, pero sin ningún rastro del bien. Un demonio negro. Un monstruo escuálido. Un perro feroz de siete cabezas que vomita fuego por siete bocas y siete hocicos. Siete hileras de dientes en siete bocas hambrientas. Siete penes tumescentes usados indistintamente en siete vulvas en celo. Entidades que habitaban los siete infiernos de los siete torbellinos malditos. Un lugar que crearon para atormentarse, según algunos. Para un demonio, el auto tormento es como rascarse, un pasatiempo temible. Comparado al cual, cualquier placer es un tormento. Sin embargo, aman el placer. Porque les encanta atormentarse. Por naturaleza, por destino y por temperamento. Condenados a sufrir, disfrutando e instigando deleite en todas partes del mundo. Por lo tanto, dan toda clase de placer a su gente.

Esta teoría no tiene muchos secuaces, pero ha existido desde que comenzó el mundo.

Según otros, el infierno es una prisión de fuego y hielo al mismo tiempo, alimentado por los siete pecados capitales, especialmente la soberbia, la vanidad, la envidia y la avaricia, leños ardientes de madera. El lugar al cual el Rey de las Tinieblas arrastra a sus enemigos. Y mientras llegan más personas, el fuego y el hielo crecen más.

Capítulo Diez

Las Luces nuevas, creyéndose las más brillantes de todas, odiaban el pasado e inventaban aún más innovaciones, mezclando esto y aquello como tuvieran a bien. En todo caso, restaron importancia a las diferencias y acentuaron las semejanzas entre el Gran Kirios y los enemigos que reclaman el título de kirios. Cada uno con sus ángeles, sus portadores de escudos armados y feroces, secuaces de todo tipo, tamaño y grado de astucia para el bien y para el mal, según su preferencia y su naturaleza. Quienes esparcieron expertos en secuestros por todo el mundo. Sin darse cuenta, las personas se encontraron en el medio de un grupo u otro. Pero al fin y al cabo la mezcolanza fue tal que el mundo entero es una conglomeración de ángeles junto a diablos, siendo el hombre un poco de una cosa y un poco de otra. Algo de oscuridad, algo de luz, algo de oro, algo de barro. "Quien no hace el bien que desea, sino el mal que aborrece", en las palabras de un profeta cegado por un rayo, pero quien restregando barro en los ojos recobró la vista . . .

Ese hombre era Saúl, el Moisés de la Cristiandad, la modalidad genial del judaismo de Moisés.

Aquí interrumpieron todos, gritando:

"¿Cómo puede mejorar la vista barro en los ojos?"

Eva replicó que así serían las cosas en el futuro. Había magia que se llamaba Milagro en el cual se suspendían las leyes de la naturaleza. No interrumpan para que ella no pierda el camino en el cuento. No obstante, se oyó un vocerío en el público. Varias personas estaban escupiendo en el suelo y frotándose los ojos con barro para aclararse la vista. Con resultados desastrosos. Salieron corriendo, tropezando al irse y rechiflando, dirigiéndose a una fuente para lavarse. Por fin el tiburón, incapaz de refrenarse, interrumpió:

"Espera, Monice", dijo, "hay un gran error aquí. Saúl nunca hizo barro con su propia saliva para ponerse en los ojos. Fue Cristo quien hizo eso para restaurar la vista de un hombre que nació ciego. Para probar que fue enviado por el Gran Kirios y demonstrar su dominio técnico sobre los elementos".

"Mira", dijo ella, "quiero que sepas una vez por todas, que la memoria de la lombriz es fotográfica e infalible. No sólo por lo que ve y oye, sino lo que huele, prueba y siente, o lo que se le ocurre en la cabeza. Nuestra memoria es innata e infinita en el espacio y el tiempo. Después verás por qué sólo repito lo que contó Eva y transmitieron nuestros abuelos. Puede ser que en su visión profética ella vio en Saúl otro Cristo, aunque fuera distinto del primero. Porque en realidad ha habido y sigue habiendo muchos Cristos en el mundo. Nosotras las lombrices también tenemos el nuestro, lo mismo que las serpientes y otros animales tienen el suyo. Cada uno con sus profecías, sus doctrinas, sus buenas y malas noticias. Nos hemos acostumbrado a vivir rodeadas de Cristos. Tanto que un mundo sin Cristos sería tan vacío como uno sin Moisés, sin Mahoma, sin Buda, sin Confucio. Sin el Kirios del Olimpo. Un mundo ciego y opaco. Pero esos dos, Cristo y Saúl, además de ser judíos, eran del mismo tamaño, con el tipo de barba negra espesa de los místicos trascendentes. No critiquemos a Eva por falta de la memoria infalible de las lombrices.

"Saúl, sin embargo, era astuto y no merecía la comparación.

Surgió de la ceguera para curarles la vista a aquéllos que ya veían bien. Según él, Cefas y los otros estaban introduciendo errores en el sistema al cual habían sido convocados. Cefas, el primer apóstol y papa, que se llamaba Pedro, la Piedra angular de la Iglesia, estaba fracasando en su cargo como guardián de las llaves. De abrir y cerrar las puertas del Reino, usando la llave que correspondía en el ojo de la cerradura correcta. Quizás porque la infabilidad todavía no se había inventado, que llegaría sólo después de los descubrimientos del Renacimiento. No había modo que Saúl supiera sobre eso. A pesar del poder de las llaves que se le dieron a Pedro, esa frase 'todo lo que unen entre sí' quizás significara algo distinto. En sus últimos momentos de vida, hubo confusión y malentendido entre Cristo y el Padre. Dudó, perdió el ánimo, pidiendo, implorando que '. . . el cáliz de la pasión de redención pase sin que lo beba . . .' Lloró y hasta sudó sangre. La razón por la cual el Padre se había indignado. Creyendo que el Hijo había demonstrado cobardía, apartó el rostro de él. En la cruz clamó de nuevo, lamentando el abandono . . . '¡Eli! ¡Eli! Lama sabatani . . .' Furioso, el Padre Lo maldijo y juró no verLo nunca más. Fue como si desde el trono exclamara:

"¿Lloraste en la presencia de la cruz?
¿Contemplando la cruz lloraste?
El Cobarde no desciende del Fuerte:
¡Tú lloraste, no eres mi HIjo!

Ve, Maldito y Solo en el mundo;
Porque llegaste a tal vileza
Que en presencia de la muerte lloraste,
¡Tú, Cobarde, no eres Hijo mío!"

En verdad, durante todo el drama de la Pasión, no había aparecido ni una sola vez, ni dicho una palabra durante el juicio y la muerte en la colina entre dos criminales. Nada que confortar, nada que reprender, nada. Como si no quisiera saber nada de Él. Ese silencio debe haber sido su mayor tormento. ¿Qué padre cerraría los ojos y dejaría solo a su hijo en las manos de verdugos, pereciendo en una cruz? El Padre Anciano debe haberse sentido realmente avergonzado, optando por no querer saber nada más sobre ese Hijo.

Para Saúl, Cefas no había aprendido a usar las llaves y era inservible para el puesto. Cristo, con ciencia cierta, se arrepintió de haberlo escogido, encontrándolo inepto, y como para no arruinar el Sistema, le había dado las llaves. Saúl nunca conoció a Cristo mientras vivía. ¡Kirieeleison! y si así fuera, lo hubiera hecho apedrear por blasfemia, como había ocurrido con Esteban. Un crimen que nunca confesó públicamente ni lo que habia pasado con su ropa, las reliquias sagradas, muy buscadas en esa época, y hoy más preciosas que el oro en el mercado de antigüedades, uno de los mayores tesoros del mundo y de la Cristiandad. De igual manera Moisés tampoco confesó nunca el asesinato de los egipcios, ni David el de Urias, que nos hace ponderar, ¿por qué esa pasión de parte del Gran Kirios de escoger asesinos como sus profetas y líderes? Comenzando desde entonces, Saúl empieza a maniobrar la Iglesia hacia su voluntad. Irrespetuosamente, acusando a Cefas de doblez, tanto a la cara como en público, algo que ninguno de los apóstoles, dada su reverencia por él, hizo ni haría. Una falta que él mismo había cometido, jactándose verbalmente y por escrito. Subyugando a ese primer papa viviente, sacro por las manos de Cristo mismo, a sus visiones y manía. Esto nos hace maravillarnos cómo hubiera sido una iglesia "Petrina", al estilo de los pescadores de Galilea, según la intención de su fundador, y no "Saulina", concebida por un impostor aventurero que se abrió paso a fuerzas en el Club de los Doce Apóstoles. (¡Por una razón desconocida cambió el nombre que Cristo mismo le había dado, Saúl! ¡Saúl! ¿Si desdeñó el nombre que Cristo mismo le había dado, qué respeto tendría por el de Pedro?

Saúl, para entrar en el Club de los Doce, inventó un cuento fraudulento e inverosímil. Primero, parecía no recordar que el club no era de doce sino trece. Judas había sido el décimotercio, y se lo había llevado el diablo. Seguramente, desconocía o atribuía poca importancia a la antigua leyenda que atribuía el número trece al demonio.

El diablo era un ingeniero famoso por la construcción de puentes. Como el comercio era terrible en el Infierno, decidió ofrecer un fomento de ventas. Él construiría un puente para quienquiera lo pidiera. Con tal que la décima tercia persona que cruzara el puente fuera suya. Una vez que se completara la construcción y hubieran terminado los festejos, se colocaría discretamente en un rincón, contando y esperando el décimotercio, quien sería su pago. A primera vista una ganga atroz. Por lo menos en Alemania, que infundió nueva vida en la leyenda de otros tiempos. Más tarde recibiría un poco de indemnización cuando se firmaron contratos en Venecia y Recife. Nadie comprendía cómo un individuo tan astuto como él podría haber hecho un trato tan terrible. Las pensiones y los moteles del Infierno deben estar vacíos, esperando inquilinos y turistas. Pero hay un viejo dicho: "No te rías del diablo y sus motivos, ya que él terminará riéndose de ti". Ese negocio tonto de los puentes fue al fin tal triunfo como dejar a Trump y Bill Gates que parezcan idiotas. Y todo Wall Street dando vueltas confusamente, porque no sólo se llevó la décima tercia persona que cruzó el puente sino más tarde también a todas las décimoterceras. De un lado del puente al otro. Del río abajo al cielo arriba. De barcos y submarinos a aviones y futuros satélites.

Al biógrafo más credencial del Demonio, de Harvard, Cambridge y la Sorbona y los sabios de la Gregoriana, la Zapelena, los Fuch, los Healy, resguardados en el corazón del Vaticano, el mayor enigma hoy fue un contrato que firmó con George Washington. Por el cual se llevaría la primera virgen que cruzara y todas como ella que podrían venir después. Por lo visto el "gran zorro" conocía mejor a su pueblo que el Príncipe de las Tinieblas y le dio una lección tan buena como la que les había enseñado a los soldados ingleses. Éste se dijo ser el peor contrato de su vida de Pedro Botero. Uno que de vez en cuando le hace dar aullidos que sacuden la tierra. Dicen que el diablo se resintió tanto que rompió los papeles en la cara del general yanqui y juró sabotear el puente algún día. Algo que hasta el día de hoy infunde temor en el corazón de los neoyorquinos, aterrorizados por la desaparición de vírgenes y las amenazas del demonio, intentaron importar algunas, pero la escasez era la misma en todas partes. Así, dicen las biografías, nadie sabe cuánto más continuará el suspenso y quién será el último en reírse, el demonio astuto o el zorro norteamericano.

El hecho es que Saúl, sin el menor don de profecía, no sabía ni previó nada de esto. A su parecer, y el de otros, pidió con insistencia llenar la vacante que dejó Judas con un hombre digno de Cristo y lo más pronto posible. Pedro ya había descrito los requisitos para el puesto. Naturalmente, hubo gran competencia. Entre los aspirantes: Marcos, su favorito; Lucas, el preferido de los demás; Esteban, cuya popularidad estaba creciendo en las urnas electorales; Barnaby, quien presentó a Saúl al club y patrocinó su candidatura; Lázaro, la preferencia de la plebe y las mujeres, las discípulas de Emmaus, y hasta Gamaliel, el judío sabio y prudente, doctor en leyes, sería un candidato apropiado. Hasta debatieron a María de Betania, la Grace Kelly de su época, después que la Madre de Jesús se opuso obstinadamente al lanzamiento de su propio nombre, lo que prueba sin duda que hasta entonces no había necesidad de un movimiento feminista.

Saúl, un genio multifacético, prevaleció sobre todos y noblemente ganó el lugar de Esteban, en todo respecto el candidato más fuerte y el más preferido, quien se quitó de la competencia por el simple proceso que lo mataron a pedradas. Raro pero efectivo, siguiendo la ley de Moisés. Después de eso, ¿quién confrontaría un hombre como él, sangriento, de mal genio, imprevisible? Un doctor en leyes, arrogante, con el don de la elocuencia y un caudal de recursos literarios, quien dejó mudos a los pescadores y al mismo Dr. Lucas.

Para bien o para mal, Saúl llegó a ser el nuevo miembro número trece del club. Con imprevistos artificios y destrezas.

Su cuento que se cayó del caballo no era nada convincente y flojo. ¿Qué luz pacífica, qué caída propicia? ¿Arrojado del caballo sin quebrarse una costilla, una pierna, un brazo, sin sufrir ni siquiera un rasguño? ¿Qué clase de caída fue ésa, que sólo lo cegó y le cubrió los ojos con escamas? No se dijo nada sobre el caballo. ¿No se habría espantado, encabritado en el aire, fugado al galope? ¿Y los testigos que vieron todo, mudos entonces y después?

La táctica de los pescadores, sin embargo, fue abrazar a todos. "Quienquiera no esté contra mí está por mí", había dicho el Maestro. Por lo tanto, a pesar de su pasado y precedentes, le dieron la bienvenida a Saúl. Después que Esteban ya no era, se necesitaba alguien sabio e inteligente como él. La santidad no era tan importante y no entraba en el cálculo. Además. ¿cómo podrían simples pescadores oponerse a esa carismática figura que ocultaba el hombre de sangre, ira, violencia y venganza? Su entrada en el club, debatida en secreto y aprobada apresuradamente sin significante oposición, significaba prestigio así como también garantía contra el apedreo. Su vida, a fin de cuentas, traería el cambio repentino de un héroe que terminó con la cabeza degollada. Poco precio, a propósito, que pagar por la inmortalidad. A considerar: Cristo mismo había muerto en una cruz entre dos criminales. Pedro también en una cruz, pero boca abajo y sin un ladrón que le atormentara sus últimos momentos. Cosa terrible morir con un idiota al lado vomitando estupideces. Juan, virgen, el amado, a quien se le permitió descansar la cabeza en el pecho del Maestro, tuvo la peor de las muertes, la muerte de langostas y cangrejos, echado a una caldera de aceite hirviente. ¡No! De cualquier punto de vista la decapitación de Saúl fue una concesión al diablo otorgada al número trece. Aun desde el punto de vista romano, valía la pena. La mejor muerte, dijo César, es una rápida.

A pesar de todo, reconociendo los méritos, las metáforas de Saúl son sin igual, aunque si de vez en cuando él afirmaría alguna tontería muy bien vestida como elocuencia. Tal como: "Si Cristo no está resucitado, nuestra fe es en vano". ¡Gran descubrimiento! Mira, Saúl, si Cristo no resucitó, todo lo que dijo Él y tú predicaste, tendría un significado diferente y no sería nada más que un gran engaño y fraude. La verdad es que no tenemos la menor evidencia que resucitó Cristo salvo por escaso testimonio que depende de la Fe. ¡Pobre Fe! Llamada a servir y cargar un peso más allá de su fuerza. Testigos irrelatables, por ejemplo, habrían sido Anás, Caifás, Pilato, o Herode, si Cristo se les

apareciera en persona, llevando como testigo a Andrés o algún
pariente suyo bien capaz de documentar el hecho metiéndose en
una cesta con cuerdas. ¿No habría sido mejor, quizás, si el cen-
turión romano fuera convocado para introducir el dedo en las
llagas? ¿O el mismo Barrabás? La conversión de Barrabás en vez
de Saúl representaba un triunfo irrefutable de la incipiente cristiandad. Una declaración formal de Lázaro, también irrefutable,
además de aquellos que Él suscitó de los muertos. Como preám-
bulo, que ellos nos digan cómo era el reino de las tinieblas. Qué
vieron allá. Es difícil comprender cómo Lázaro, íntimo amigo,
quien dividió con Jerusalén las lágrimas que derramó Cristo en
la tierra, nunca abrió la boca para decir lo primero sobre El Que
lo convocó de las puertas de la muerte. Existen tales amistades y a
pesar de nosotros mismos, continuamos a honrar a aquéllos que
nos decepcionaron más penosamente en la vida.

Casi todo el testimonio que estas personas, crédulas o capciosas nos dejaron sobre la resurrección de Cristo pusieron todo
el peso sobre las muletas de la Fe. Fe, la Gran Dama destinada
a llegar a ser la Musa de la cristiandad, no se somete a las exigencias que los tiempos imponen en ella. Habla e inspira realmente a cualquiera, pero de pronto abandona a sus seguidores y
clientes más devotos, aquéllos embelesados que compraron sus
hechicerías a precios de inflación. A ésos, ella los trata como una
vampiresa que se complace en pintar los esplendores de los pocos
momentos que pasa con amantes en la tierra, engañándolos con
la promesa de éxtasis sempiterno en un palacio dorado, sin haber
dado hasta el día de hoy la más diminuta prueba que exista tal
palacio. Una prostituta ilustre, en breve, a quien atribuimos la
pureza de ángeles y la inocencia de vírgenes. Saúl sin embargo,
introdujo un concepto sublime en la historia del pensamiento

cuando habló del cuerpo místico de Cristo. El himno que alza a Caridad está imbuido de lirismo que supera a Salomón y constituye unos de los pasajes más hermosos de toda la literatura. "Aunque hable con las lenguas de hombres y de ángeles y no tenga caridad, me he transformado en cobre sonoro, o un platillo que tintinea . . . Y aunque otorgue todos mis bienes para alimentar a los pobres, y aunque dé mi cuerpo para que sea quemado y no tenga caridad, no me sirve de nada".

Es sublime. Cristo mismo no podría decirlo mejor. Allí se aprendería la mística del perdón. Para los judíos, lor romanos, los sarracenos. Y el cristiano no clamaría nunca por venganza por la barbarie que sufrieron a través de los siglos a causa de esa Fe y Unión en Cristo. Lo que el cristiano sí aprende de Cristo es perdonar cuando otros le golpean la cara, le escupen y lo clavan a la cruz. Lo que los judíos no aprendieron de Cristo es su "ojo por ojo, diente por diente". Lo cual, al pie de la letra, terminaría con un mundo lleno de ciegos y desdentados. Un espectáculo nada agradable. En eso, los cristianos se alzan por encima de los mortales. El perdón es más mordaz que la limosna para abrir los portales del cielo. Saúl vio esto mejor que nadie. La virtud más noble en el corazón del hombre es perdonarlo cuando es injusto con uno.

En cuanto a su valor, "è tutta un' altra facenda", como dicen los italianos. ¿Cómo se puede imaginar un héroe de su estampa y carácter metiéndose en una cesta y descendiendo las murallas de Roma para escapar la furia de sus enemigos? ¿Quién podría imaginarse a Cristo, César, Pompeyo, aun Bruto rebajándose a tal cosa? ¿Dónde estaba el valor romano? ¿Qué había aprendido de Cristo enfrentando a los judíos en las calles, entrando triunfalmente en Jerusalén después del alboroto épico que había tratado a los cambistas en el templo? ¿Qué había aprendido del "Quo vadis" por el cual Cristo había amonestado a Pedro?

Barro y luz, la suma del rayo de iluminación que constituye la humanidad. Ningún caso ilustra mejor la lucha eterna entre Luz y Tinieblas que la vida de este héroe. Y a causa de esto, porque llenó el vacío de la interminable ansiedad en la inteligencia humana, surgieron leyendas y más leyendas que crearon y formaron hermosas teologías, cada una más imaginativa e intrigante que la anterior, más elevada y profunda, testificadas por el faro tremendo de los mitos. Con sus profetas, sus poetas, y sus mesías presentes. Y la necesidad indispensable de un Salvador, un Gran Mesías. Y es de esa demanda y en esas contingencias que nacería Cristo. Enviado por el Gran Kirios. Bueno, Omnipotente, Absoluto. Vencer al Kirios de las Tinieblas y sus demonios. Terminar una vez por todas el poder formidable del otro mundo y su influencia en éste, y regenerar todo una vez más. *Ecce nova facio omnia*. He aquí que haré todo de nuevo. Un nuevo Cielo y una nueva Tierra. Hombres nuevos, bestias nuevas. Nuevo sol, nuevos planetas, nuevos sistemas solares. Inculcar un nuevo reino de luz, de paz, y de amor. La codiciada Jerusalén. Donde los hombres, peces y animales vivirán en paz. Todo vuelve al paraíso imaginado.

Eva continuó su éxtasis de visiones, como si leyera el porvenir en la palma. A menudo los escuchantes no estaban seguros de lo que decía ella, pero el relato fascinaba más por el modo que se contaba que lo que realmente decía.

Y, en esas expectativas de Fe y Esperanza, conceptos extraños y originales, sin embargo indispensables en el nuevo régimen, todos buscando el favor de sus Kirios, ofrecerán víctimas cebadas de olor agradable, sacrificando ganado, corderos, cabras, humanos vivientes, todos inmolados en las llamas. En medio de plegarias y salmodias de felicidad, personas embelesadas mirando hacia el cielo, viendo visiones, hablando en lenguas desconocidas. Será así en los templos, que se llamarán iglesias. Creyendo en los símbolos de los cielos. Estrellas fugaces. Temblores en la tierra. Y sacerdotes y profetas para interpretar su significado. Investigadores de los misterios de las sombras, especialistas en lo que no se ve. Surgirán religiones, que son embarcaciones que navegan en las sombras con las antorchas de Fe, bajo pretexto de buscar el paraíso soñado. Surgirán iglesias en cada esquina, cada una clamarando que ella sola posee la ruta a la luz. Que las otras llevan sólo a las tinieblas, con Satanás el timonel. Y así, los empresarios de la Fe construirán industrias de temor, y la mayor de ellas, la multinacional de la consciencia, con sus sedes en Roma, donde se sientan los sucesores de Pedro, alternando el trono con cambistas, los sucesores de Judas, cuyo negocio de vender a Cristo continúa a todo vapor.

Capítulo Once

Todo esto, sin embargo, comenzó con el deseo de Luz de resolver el misterio de Oscuridad, y de nunca haber logrado poner fin a su imperio misterioso y absoluto. Y Oscuridad se burlaba de todo. Orgullosa de haber creado las inteligencias dominantes, adorándolas como tales, y reconociéndolas como un Gran Kirios intocable, inmortal y enorme, y el creador de mitos fabulosos.

Para estas presentaciones, se invitó al Creador y se sentó en la silla de honor junto a Agapé, su esposa, mientras Eva, con su talento dramático y creativo, anotaba y detallaba todo. Le enseñó la acción a Adán, los gestos, el modo de hablar, la magia que adquirían las palabras en el escenario. Dentro y fuera del contexto. Pasaron horas. Tuvo paciencia dando clase a los animales menos dotados. Los más tontos, aparentemente, eran los cangrejos, caminando hacia atrás, cuando en realidad caminaban hacia adelante. Con lo que otros, no sin razón, no estaban de acuerdo. Deben haber tenido la vista cóncava/convexa del universo y el movimiento giratorio de los mundos. Y los que sostienen esa imagen son los afortunados poseedores de gran criterio. Por que la manera más segura de dar en el blanco es escaparse para atacarlo de frente. Lo que distingue las realidades independientes y relativas en el tiempo y el espacio y más allá. El cangrejo ve que avanzar hacia adelante es perseguir lo que se escapa y técnicamente perder terreno. Un error fatal que todos cometen, incluso los astros y las estrellas de cine. Cada uno se mueve hacia adelante, hacia nada, sin destino ni fin. La Tierra, más inteligente, se mueve en una dirección, y la Luna, aun más así, en otra, contra el Sol. Para avanzar hay que caminar de lado o hacia atrás, afirman los cangrejos, o alrededor de sí mismos, como Brás Cubas. Caminar como los cangrejos trazó irrebatiblemente la famosa teoría conocida erróneamente como "relativa" cuando en realidad es absoluta.

El gran Einstein podría decir con aplomo que se había recibido de la universidad de mangles.

Nuestro estimado hermano el asno tendría una comprensión realista y singular de lo que se llama inercia. Estaba dedicado al estado de permanencia. La permanencia preservaba las cosas en un estado inalterable y eterno. Vio en la permanencia la virtud principal del Gran Kirios, quien dejó las cosas como estaban. Hablaba tan favorablemente de la permanencia que hechizó las estrellas mismas. Una declaración suya llegó a ser un clásico ejemplo de elocuencia equina. Dejó estupefacto al sol e hizo llorar a las estrellas. Y pronto llegó a ser considerado el Cicerón de los cuadrúpedos terrenales. El perezoso se convirtió rápidamente en su partidario ferviente y con el fervor de un flamante cristiano, se trepó a los árboles sin bajar nunca más para predicar el evangelio sobre la permanencia a las nubes y estrellas. Tales consideraciones condujeron al asno a profundas reflexiones y a preguntarse por qué no se le caían las estrellas sobre la cabeza. El mismo día que estaba durmiendo un rato bajo un árbol de nanjea cuando una nanjea casi le revuelve los sesos, se descubrió la gravedad y él anticipó a Newton y Galileo por innumerables milenios. Y fundó la escuela de los estóicos, demostrando con ejemplo práctico que un golpe en la cabeza fue como si no hubiera ocurrido nada. Lo que fue identificarlo con los místicos a través de los tiempos. Ésta fue la razón que había sido honrado

y escogido por el Gran Kirios de llevar a Egipto al Nuevo Rey del
Mundo. Por esa misma razón se le llamó Zeferino, portador del
Gran Kirios. La decisión dejó tan furioso al camello y comién-
dose de envidia que empezó a corcovear y explotar su ira por
medio de explosiones tremendas. Encontrándose frustrado de
haber provocado la decapitación de santos inocentes.

De hecho, desde esa noche en Belén se había sentido menos-
preciado y ofendido por esa gente que demostraba su preferencia
por un asno. Como tenía contactos en la corte de Herodes, los
usó para difundir la noticia que el futuro Rey de los Judíos estaba
escondido entre pastores que pensaban huir con Él en el lomo de
un burro.

Capítulo Doce

Fue la vileza del camello que recién comenzaba, que nos percatamos de la nobleza del alma y del carácter del burro. En verdad, pocos conocen la historia del que fue elegido para la solemne entrada del Mesías en Jerusalén. Zeferino, como hemos visto, había recibido ese nombre desde el viaje a Egipto, cuando cargó en el lomo a María y al recién nacido Rey de los Judíos . . . Lo cual dejó al camello fuera de sí con ira.

No sin razón. Además de poder ofrecer una lujosa montura, comparable a un Cadillac en la actualidad, resaltaba como el célebre astrónomo del desierto y el guía principal de turistas de su época, habiendo dirigido, con precisión científica, a los Magos del Oriente a un pesebre en Belén, guiado sólo por una estrella. Acto sin precedentes en las crónicas de la astronomía, que en siglos futuros desafiarían a Vasco da Gama, Colón y Magallanes.

Sobre todo, lo que hizo al camello casi morir de envidia fue ese título de "Zeferino", el portador de Zeus, lo que más deseaba en el mundo. Temiendo que el Gran Kirios, como compensación, creara la Constelación del Burro", en vez de una "Constelación del Camello". Siete estrellas doradas brillando en los cielos, simbolizando las cuatro patas, la cabeza, la cola, y el gancho en el lomo.

Por lo tanto, intentó por todos los medios defamar a su rival anónimo, soltando toda clase de vileza y epíteto despectivo, ¡"Caballo enano"! ¡"Pedazo de guano"! ¡"Asno"! ¡"Bestia"! ¡Quien nunca cobró un centavo por un viaje al fin del mundo! (El camello les había exigido a los magos seiscientas dracmas por día, además de agua, comida, establo y una compañera nocturna escogida por él). ¡"Tú Idiota"! ¡"Borrico"! ¡"Mula"! ¡"Zopenco"! Nombres que han perdurado hasta este día y marcan la raza entera. Lo que nos enseña una gran muestra de sabiduría: los envidiosos poseen sorprendentes y persuasivos secretos lingüísticos.

No cabe duda que a causa de esa augusta misión, él había sido dotado de una visión profética, tratando futilmente de emular el método de su primo lejano, el burro de Balaam, deteniéndose aquí y allí como si un ángel le bloqueara el paso. Judas torciéndole la cola de atrás mientras que adelante suyo los apóstoles complícitos ofrecían apoyo y se reían.

Como vio Judas, el administrador de los apóstoles, la entrada solemne del Mesías, aun encima de un burro, un gran éxito que ofrecería garantía de un aumento del cien por ciento en la colecta. Lo que había imaginado era una entrada triunfal en una cuadriga dorada con perlas encrustadas en los asientos y marfil en las ruedas, un toldo de seda, ricas togas ondeantes, una diadema digna de un mandatario . . . al estilo de los sacerdotes supremos que llevaban el Arca de la Alianza en ceremonias solemnes, brillantes sementales árabes blancos con arneses plateados—para fijar al instante en la mente del pueblo que Jesús era de verdad el Gran Mesías anunciado, que había venido a liberar Israel del oprobio y la dominación romana. Con él en pie al lado, en atavío real, recibiendo en jarros grandes oro, plata, y piedras preciosas. Perfumes del Oriente.

Este sueño grandioso de Judas se marchitó de pronto, hasta que se transformó en un beso en Getsemaní. Un beso disimulado en la mejilla del Mesías.

El Maestro se había opuesto a la demonstración de opulencia y los apóstoles protestaron impetuosamente. "¡En absoluto, tú tonto"! dijo Pedro. Si sigues poniendo esas ideas tontas en la cabeza del pueblo, te voy a cortar el—" Una mirada severa del Maestro le hizo tragar la mala palabra. "*¡Non clericat!*" dijo el Dr. Lucas en voz baja. Había dominado el idioma de los romanos e impuso una autoridad académica en el habla de sus compañeros. Todos sintieron que la sugerencia de Judas destrozaría la imagen en Isaia: "mi reino no es de este mundo . . ."

Judas le torció la cola, con éste negándose a moverse, tratando de darle una patada en la espinilla del bribón, habiendo fallado ya dos veces y concentrándose en la tercera. Fue entonces cuando Pedro se fijó y viendo el escándalo al cual estaban expuestos, con la uña de pescador afilada, le dio un fuerte pellizco en el trasero a Zeferino. Ese hijo de yegua, acostumbrado a los pellizcos de Pedro, ni siquiera hizo una mueca. Entonces el Príncipe de los Apóstoles, dándose cuenta, se volvió al portador.

"Deja de hacer eso, Cristóbal (Pedro a veces prefería llamarlo así, creyendo que Zeferino sonaba demasiado pagano), qué indecente. Si quieres entrar en nuestro servicio, predicar la buena nueva, tienes que actuar como las personas, ser caritativo, perdonar agravios . . ."

"¡Perdonar mi culo! Ese hijo de puta no vale lo que entierra el gato. Vosotros, un montón de locos, no veis nada malo con eso, no teneis idea de lo que planea. A la larga el desgraciado va a estirar el cuello colgado de una higuera. Ten presente lo que digo . . . demasiado tarde . . .demasiado tarde . . . Pero, antes que suceda . . ."

Miró furtivamente a ambos lados, y—¡bam! Pilló al desdichado de frente en la pata. La bestia tragó sin mover un músculo, sin hacer una mueca.

Pedro y los demás quedaron inmobilizados sin comprender ni una pizca de lo que pasaba, pasmados, mirando al Maestro, quien observó todo sin levantarle un dedo a Judas ni dar señas de regañar a Zeferino. El animal plantó las patas con firmeza en el suelo y nadie pudo hacerlo que se moviera. Por suerte, el joven judío y las personas que le acompañaban no notaron nada y continuaron sacudiendo las ramas de olivo y cantando glorias y hosannas al Hijo de David.

El intrépido Zeferino, frustrado y previendo todo lo que estaba por ocurrir, buscó cualquier modo posible de impedir que el Maestro entrara a la ciudad y cayera en manos de los judíos. En algún momento, viendo que negándose a moverse era en vano, faltándole la suerte de su primo y sin un ángel que se aparezca allí y se exprese en burro, el rico y florido dialecto de los burros, levantó la cara al cielo y emitió varios rebuznos apocalípticos, suficientes para alertar al Maestro de la inminente tragedia, diciendo y gesticulando que el malvado que le torció la cola era el mismo que le traicionaría. Le mostró el portento en el lomo, indicando el tipo de muerte que le esperaba. (Es apropiado en este momento recordar el oráculo, quien por años siguió el camino de los burros, ya que algún día uno de ellos llevaría al Gran Kirios a Egipto y otro entraría en Jerusalén con Él, y así se le concedería entrada gratis al cielo). El Mesías le dio las gracias, sonrió con emoción, y le dijo que no había otro modo, ya que era la expresa voluntad del Padre. Imploraría, lloraría y sudaria sangre, para ver si Él podría conmoverse a cambiar de opinión, pero era tan difícil . . . tan difícil . . . Cuando el Anciano deseaba algo, sucedería. Su amargo destino y su misión en la Tierra, de acuerdo con el papel que hizo en el drama de la Escritura. El mundo realmente no estaba preparado para esto, el Hijo del Gran

Kirios tratado como un ladrón, llevando una cruz en la espalda por medio de la mitad de la ciudad. La mayoría de la humanidad no comprendería nunca, si alguien llegara a comprender alguna vez. En cualquier caso, era para esto que había venido al mundo. Le dio palmaditas afectuosamente a Zeferino y le acarició el pescuezo, Pocos presenciaron la curiosa demonstración de afecto entre el hijo del Gran Kirios y ese despreciado animal. Así se selló una de las más sinceras amistades del mundo.

Acompañó a Cristo anónimamente en el sendero al Calvario en medio de la muchedumbre alborotada delirante de ver sangre. Algunos se preguntaron en voz alta qué hacía allí el burro sin dueño. Finalmente fue identificado por uno de los cambistas a quien Jesús había hostigado tres días antes. Cuando lo vio, el hombre soltó una carcajada con la boca de dientes defectuosos cubiertos de oro que vendía como polvo. ¡"Puro oro de las minas de Salomón"! gritó, osando mostrarle a Cristo mismo el resultado del golpe.

Causó gran conmoción señalando a los soldados el burro que había llevado a Cristo a Jerusalén. ¿Por qué no obligar al supuesto Rey de Israel a acarrear la cruz mientras lo montaba? Un sublime ejemplo del ridículo en la apoteosis de Redención. Sarcasmo supremo que él, sin embargo, había podido presentar como compasión. Porque alegó que Cristo mostraba señales de no poder llegar vivo al Calvario. La respuesta fue un latigazo en el hocico. Al deleite de la plebe, viéndole moverse con prisa para recoger el diente que rodaba por el suelo y varios muchachos a la caza. Fue la segunda zurra que había sufrido el cambista.

Zeferino, desde ese momento, se sentó con más firmeza. Algunos de los espectadores, conmovidos, le pasaron las manos por el lomo. Él estaba agradecido y de vez en cuando le echaba una mirada piadosa al Mesías, como si dijera: "¡Valor, amigo mío! Un poquito más . . . y terminará pronto . . ." Palabras que repetiría cuando Cristo, en agonía, se lamentaba: "Padre, Padre . . . ¡¿por qué me has abandonado?!" Zeferino sufría en extremo, agitado y compartiendo el dolor.

Como precaución, se alejó y se tendió en los rediles del cerro. Cruzó las patas, no pudiendo aguantar más lo que veía, cerró los ojos y lloró con amargura. Nadie lo vio así. Hasta el día de hoy, ningún artista ha divisado la sublime piedad.

A las tres, cuando oscureció sobre la tierra, su rebuzno fue tan fuerte que se sacudieron las colinas, dando la impresión que él, y no Cristo, pasaba a mejor vida. Se abrieron sepulcros ante él, y los muertos resucitados comenzaron a salir de las cuevas, saltando, bailando, formando un grupo en la calle, festejando algo que ellos mismos no comprendían, llamados de vuelta a la vida pero creyendo que todavía estaban muertos. Como si la alegría que los capturaba fuera un motel al borde de la carretera, donde alguien pasa la noche sabiendo que el viaje continuará al día siguiente. Festejaron porque sí, estirando las piernas entumecidas por la cueva. Una sensación tanto tremenda como extraña. Recordemos que estamos hablando de forajidos y ladrones cuyas piernas se quebraron para acelerar su muerte y que estaban sepultados en la misma tumba común de Gólgota. Las fuerzas de la Justicia los había unido allí. La Gran Justicia Democrática que une a los justos y a los injustos. ¡La Justicia de extremidades intactas y quebradas! En la Tierra como en el Cielo. Amén.

Alguien, no se sabe quién, ni es de ningún interés, había recordado liberarlos. Era urgente escaparse lo más pronto posible de esa fosa, el valle oscuro de los muertos y todo allí; dejar atrás las sombras del terror. Y salieron corriendo y formando un grupo de parrandistas. Rápido, rápido antes que una suerte malévola los llame de vuelta.

Comentaron entre ellos el tratamiento en la otra vida. Algunos habían tenido que comerse las uñas. Algunos, los que no tenían uñas, pelearon por las uñas de otros. Aún otros se jactaron del vómito que ingirieron. Mientras otros tales insistieron que no recordaban nada.

Turistas, todos ellos, disfrutando un día feriado inmerecido. Cuando pasaron la gran cruz en el medio del Calvario, estaban satisfechos de saber que el Uno allí sólo era un instigador político, hechicero y blasfemo. Había conducido al mar un rebaño de marranos sin pagarle un centavo al dueño. Había jurado destruir el templo de Salomón y reconstruirlo en tres días; un loco de atar, declarando categóricamente que Él y el Padre eran Uno. Al fin y al cabo no era más que un visionario sin un centavo que había logrado la increíble hazaña de enfadar a los doctores en Leyes, a los patriotas fanáticos y a los romanos, todos al mismo tiempo y quien había sido condenado por la Justicia de la misma manera que él los había condenado. Sólo unos pocos se detuvieron para contemplar al colega hosco y desafortunado. Y silbó el polulacho: "¡Te lo mereces, galileo! ¡Consigues lo que querías!"

Indignado por todo eso, Zeferino retuvo las lágrimas, y de su rincón abrió la boca y se desahogó: "¡¡¡Escoria!!! ¡¡¡Escoria!!! ¡¡¡Escoria!!! Nadie prestó atención—¿quién lo haría?— a las maldiciones de un asno loco sentado allí lamentando la pérdida de su amo. Y siguieron saltando en ese carnaval improvisado de los muertos.

Zeferino, con el corazón liviano y contrito sintió surgir una nueva alegría en él. Porque en su más adentro pensó que las palabras que el Maestro acababa de articular, "Hoy estarás conmigo en el paraíso", estaban dirigidas a él, sólo a él y a nadie más.

Por estas y otras razones, el amigo secreto de Cristo fue elevado a la categoría de místico, admirado por un santo que le llamó hermano. Frecuentó cortes, aconsejó a papas, reyes y príncipes por todo el mundo, asumiendo de vez en cuando el liderazgo del poder temporal o permanentemente. De este modo se juntaron los grandes genios de la historia, el burro, el santo, el perezoso, y el cangrejo, el precursor del relativismo.

Capítulo Trece

En el teatro de Eva colaboraron todos. Cada uno tenía una función, un papel. Todos los días algo diferente. El primer acto fue el alba del mundo, la creación del sol y de las estrellas, brotando de las tinieblas como lo hace una flor del tallo. Lo más hermoso visto jamás dentro o afuera de la orbe. El sol, las estrellas, y las tinieblas insistieron en hacer el papel ellos mismos. Hubo una pelea de calaveras para ver quién haría el papel del Gran Kirios. Se llamaba una pelea de calaveras porque después de morir querían seguir luchando como cuando estaban vivos. Lo que llegó a ser un espectáculo por derecho propio, curiosamente en especial de noche. Las calaveras, iluminadas y ardientes parecían guerreros intrépidos aporreándose uno al otro, blandiendo un fémur, un hueso de espinilla, o, en desesperación, echando las falanges de los dedos como bombas. Nadie pudo conseguir separarlos, ni tampoco ninguno logró derrotar al otro en toda la noche. Luchaban y luchaban hasta caer muertos, cuando ya no había nadie interesado en el resultado. Apesumbrados, como si el mundo recién ahora hubiera terminado para ellos. Es lo más triste ver una calavera muerta y desanimada. La pelea no parecía ser exclusiva a los seres de esos días. La costumbre proliferó a través de los siglos. Aun hoy, cuando uno pasa un cementerio de noche, no es raro oír calaveras que se pelean, con sus colegas inestables rodeándolos, incitándoles con gritos e insultos. Dicen que no es simplemente pandillas que se golpean una a la otra. En general, todos los que se han sentido estafados, o que dejaron atrás alguna queja en la vida, vagan por allí, esperando que lleguen sus enemigos, preparados para la venganza.

Sin duda, el más famoso en la historia reciente fue el Presidente Richard Nixon. Parado encima de una pila de huesos más alta que las paredes. No se podría dejar de imaginarse un Golía blandiendo el hueso de la espinilla de su abuelo, de estatura gigante, masacrando, uno por uno, a los reporteros y sus detractores en vida. ¡Espectacular! Y él, que pasó un año entrenándose para el primer vals, se puso a patear un foxtrox enloquecido en la cabeza de Eisenhower, que seguía gritando, "¡Basta, Dick, hijo de puta!"

Una noche cuando no había nada programado, o por lo menos nada interesante, no hay mejor entretenimiento que pasar unas horas en el cementerio, mirando a los muertos que saldan las cuentas con sus viejos enemigos.

Volvamos a las presentaciones en el paraíso. Los rinóceros, los hipopótamos, el elefante, el dinosaurio, el león, el camello, candidatos especiales para hacer el papel del Gran Kirios, se lanzaron a luchar brazo partido en un pisoteo sangriento y desgarradura de la carne. Era como si el comienzo del mundo empezara en su fin. Fue necesario que Adán administrara unos golpes fuertes con la rama de un árbol, hiriendo a una docena de espectadores al hacerlo. El dinosaurio recibió tal paliza que se fue cojiendo arrastrando una pata y con temblorosos cuartos traseros. En el proceso, perdió una hilera de dientes, dejando la otra inservible. Sangró tanto que ni siquiera podia hablar. Los demás se aprovecharon y le eliminaron del elenco. En realidad, no poseía el mínimo talento fuera de su tamaño y fuerza. Todos le consideraban sanguinario, alborotador, faltándole las sutilezas de un actor. Mucho menos para el papel del Gran Kirios, codiciado por todos.

Al final decidieron someterlo a votación. Y el elefante ganó con facilidad. Sus modales, su trompa impresionante, sus ojos místicos, y sobretodo, su tono de voz transcendental le dio la victoria sin votación de segunda vuelta. Los sentimentalistas se refirieron a su costumbre de volver al lugar donde nació para morir. Una costumbre digna de emular. Unos de los más virtuosos alegaron que se imaginaban ver las calaveras de David y los profetas caminando solos al lugar donde habían nacido.

El sub candidato fue el camello. Sus partidarios señalaron su espíritu mesiánico en llevar en el lomo aquéllos que se aventuran en el desierto siguiendo su estrella. Sus detractores hablaron de su deformidad física, su mal humor y olor agrio, su demonstración pública de falta de cortesía. Hasta el burro acumuló un buen número de votos. Lo que llevó a otra demonstración del mal genio del dinosaurio, quien quería volver a pelear, con el apoyo del camello.

El Gran Kirios aplaudió frenéticamente la presentación original de la función, orgulloso de presenciar la inteligencia de las creaturas que había puesto en la Tierra. Durante el acto, le susurró a su esposa, diciendo que Eva había olvidado incluir la gran explosión de las Tinieblas. Allí nadie sabía realmente cómo había sucedido el mundo.

Capítulo Catorce

En el segundo acto vino la creación de los mares, los peces, los ríos, las cascadas. Eva insistió en recalcar el Amazonas, el más grande del mundo, y las Cataratas del Iguazú, las más grandes de la tierra. (Aquí interrumpió Clito de nuevo para decir que no podía entender por qué el tiburón no tenía ningún papel en esa función. La lombriz replicó genialmente que por naturaleza son actores trágicos, y la tragedia no se había inventado todavía. Él trató de controlarse, pero no pudo.) Con permiso, la versión que él había oído desde la infancia sobre la creación coincidía sólo hasta cierto punto con la de ella, pero después no. Es verdad, al principio todo era oscuridad que dominaba el espacio infinito. Sí, esa Oscuridad estaba compuesta de densas nubes de negro que se parecían a un líquido refinado en extremo que era la condensación de todo.

Entonces apareció el gran tiburón nadando en las tinieblas. Volando, ya que sus aletas eran alas, y el mar ni siquiera existía todavía. Rápidamente reconocido y adorado como un poderoso kirios de otro orbe, otro mundo, sabio y señor absoluto. Y no deseaba estar solo, así que creó una esposa, en su imagen y semejanza. Y de ellos vino la primera pareja de tiburones, en el modelo que existe hoy. Y dijo, "Sed fértiles y multiplicaos. Está escrito: 'Que no haya vírgenes entre vosotros'. La virginidad es un oprobio maldito. La Virgen, la casta, es alguien que ha escogido, temporariamente o no, socavar la fecundidad y la fuerza de restaurar la especie. El homo perverso va más allá y dice en el rostro del

Creador, '¡Fok ese asunto de hijos! ¡No quiero reproducirme!" Es como si cantara la canción: *¡Quiero acabar! ¡Con otro hombre! Quien me dé placer sin cansarse* . . . Y gritó levantando los brazos, ¡Viva Sodoma! ¡Viva Gomorra! ¡Viva la Isla de Lesbos! ¡Mueran Moisés y los sacerdotes de la Inquisición!

Y el hedonista, eyaculando desvergonzadamente se hace el terror de la esperma. "¡Placer! ¡Fok ese asunto de bebés!"

"¡Mataré a cualquiera que se presente aquí con inclinación a ser eunuco!", tronó el Kirios de los tiburones de las tinieblas. "Morirá abrasado cualquiera estéril como un palo de madera. 'La higuera que no rinde fruta se convierte en leña'". Después de lo cual mares, ríos, lagos, hasta arroyuelos rebosaron de peces grandes, medianos y pequeños de acuerdo a su especie. Como deben ser las cosas.

Recordó que de jovencito a menudo había oído hablar del Amazonas y aun cuando los abuelos tiburones les contaban a sus nietitos la nobleza del océano-río, la apoteosis de las aguas, cuyas corrientes arrastran islas enteras sin mezclarse con el mar salado, elevando a los cielos el legendario pororoca, el máximo espectáculo de la tierra, que no se puede comparar con nada. También entre sus maravillas está la vitória-régia, planta capaz de aguantar el peso de una pareja cortejando encima.

El tiburón se disculpó entonces con un gesto cortés para que continuara Monice.

Ella, expresando su gratitud, los ojos bien abiertos y una risita, sacudió la cabeza y continuó.

"Después de conquistar el drama, Eva se desvió a la comedia. Escogió la creación de la mujer y del hombre. Otra vez, el éxito fue instantáneo. Agapé, dejando a un lado sus modales tradicionales, se dobló de risa histérica, poniéndose morada, azul, y escarlata, acompañada de convulsiones. El Creador, a su vez, se rio desde el principio hasta el final. Se rio, se dobló, tanto que le dio dolor de estómago otra vez, y un retorcimiento en el colon. A alguien se le ocurrió llevarle ajenjo y anís que mascar. Un remedio milagroso desconocido para él hasta entonces. Eso fue cuando recordó crear la Ciencia Farmacéutica. Explicando qué yerba hace bien para qué y cuándo. Y puso a cargo de la nueva ciencia a un joven ángel sin alas—había muy pocos en esos días—que se llamaba Emanuel, el futuro Jesús. Se apasionó por la Medicina, la cual elevó a la categoría de ciencia con su aptitud y su genio. Inventó el arte de hacer milagros. Primero transformando agua en vino. Más tarde, multiplicando el pan y el pescado. Caminó sobre el agua y apaciguó la tormenta. Curó a leprosos con sólo tocarles con la mano. Curó a los ciegos usando barro y saliva. Los rengos, los lisiados, y los paralíticos—todo como si fuera juego de niños que los otros ángeles no pudieron duplicar. Su arte llegó a la altura de la sublimidad, pero la gente pensó que había perdido la razón cuando comenzó a expulsar demonios y resucitar a los muertos de mucho tiempo.

Así fue el primer médico de la historia. Sin embargo, como había tantos que atender, reclutó a ayudantes y escogió avispas, los santos patrones de los enfermos, y la serpiente venenosa patrona de los médicos.

Otros auxiliares incluyeron el perro, el gato, y las hormigas. De ese modo, la ciencia médica llegó a ser el bailiazgo de buenas manos, buenas picadas y buenas lenguas.

Capítulo Quince

Es bueno recordar que, *ab origine*, fue el hombre que vino de
la mujer y no la mujer del hombre. (El tiburón tragó en seco
en ese momento, abriendo la boca aserrada para expresar una
refutación, pero se refrenó a regañadientes, con temor de arruinar la conquista amorosa que sentía era segura). El Creador
(explicó Eva en una demonstración animada de su poder magnífico de expresión, usando los ojos, sacudiendo la cabeza, el
aparentemente improvisado echar atrás del cabello que se le caía
sobre la frente bronceada, los dedos afanosamente vertiendo
imágenes), habiendo creado todo, adoptó la tarea de crear a la
mujer del barro del suelo. Pero esa decisión vino sólo después de
mucha reflexión. Primero había imaginado crearla de sal; más
tarde, pensó que sería hermosa en piedra, alabastro, ónix, o már-
mol de Atlántida. Mejor, quizás, de una planta natural, como
el tronco de una palmera, el aroma de un cerezo, o la orquídea
tropical. Pensó y pensó y pensó, rascándose la cabeza, lentamente discerniendo la flor que llegaría a ser la reina de todas las
flores, la que llamaría la rosa. Entonces creó la primera rosa. Y
poco a poco, juntando y separando pétalos, formó el cáliz reu-
niendo estambre y pistilo y diseñando a la mujer. No era mucho
de su agrado. Hizo todo de nuevo. Al derecho y al revés, de arriba
abajo. De adentro afuera. Experimentó con color, el tacto de los
pétalos creando el tubo. De este modo apareció el lirio, el clavel,
la dalia, la magnolia, la orquídea suntuosa, y miles de flores, las
más hermosas y las menos hermosas, perdidas a la memoria y

el tiempo. Todas las flores pasaron por ese divino experimento. Hasta la caléndula fue una etapa intermedia de la rosa en la creación de la mujer. Todas fueron borradores, ya sean aprobados o simplemente rechazados antes de la rosa, antes que fuera una rosa, un mero borrador de la mujer.

Una vez que se concibió la idea faltaban los materiales para una flor viva y perfecta. Otra vez consideró la sal y rechazó la esencia salada. Mujer de sal . . . mujer de sal . . . No, el agua la disolverá. Los perros la lamerán. El perro es un animal que no puede controlarse cuando se enfrenta con esas cosas. Así que se obsesionó por el oro toda la noche. Luego se sintió atraído a la plata. Pero en otras noches vaciló entre la esmeralda y la turquesa, entre la turquesa y los rubíes. ¡Una mujer hecha de rubíes! Chasqueó la lengua. "¡Qué hermosa debe ser!" Pensó en el diamante, y la sensación de mareo aumentó, porque lo que se le ocurrió era la materia de las estrellas. La idea era tan brillante que brincó y casi se tuerce el tobillo. Pero puso a un lado todo lo que había considerado hasta entonces. Pensó que una mujer de materia de las estrellas, de diamante, oro, esmeralda o rubí resultaría demasiado altiva, demasiado vanidosa. Intrépida en extremo. Realmente insoportable. Odiada en el mundo donde era reina. Nadie se atrevería a acercarse a ella. Fue entonces cuando se inclinó, escupió en el suelo y empezó a moldear el polvo de la tierra. Era barro refinado y poroso, rojizo y húmedo, que tarda mucho en secarse. Como cualquier artista, se entusiasmó por lo que estaba creando. Entró en trance cuando creó los ojos y la nariz. Silbó, un sonido parecido a las cuerdas de un arpa. El gorjeo de una paloma.

Tomó dos pétalos de rosa y los movió arriba, luego abajo, de lado, moldeando una imagen agradable. El Kirios estaba tan satisfecho con su invención que más tarde la replicaría al producir la ninfa, la pequeña y seductora labia minora de la vulva. Entonces se inclinó y sopló para infundirle el aroma y la dulzura de la rosa. Y de ese modo dio el primer beso completamente embelesado por los labios que temblaban y deseaban morder los de él. Observar que ésta fue la primera interacción amorosa de la creatura con su Creador. Se había plantado la primera semilla de amor en la Tierra, el hermoso árbol que nunca dejaría de dar fruto y florecer.

El buen Kirios ahora comenzó a imaginar a la mujer acostada, de pie, caminando, meneando las caderas en un ritmo que sólo los poetas pueden describir. Tenía que ser diferente a la lombriz, o aun a la serpiente vanidosa admirada por su meneo, su destreza, sus magníficas palabras, su astucia, más maliciosa que cualquier otro animal de la Tierra.

Entonces le vino a la memoria el capullo de la rosa, o más precisamente, de la dalia o la camelia. Fue al hacerlo así que concibió los senos. El símbolo máximo de seducción femenina con el cual las mujeres hipnotizarían eternamente a los hombres en el juego del amor. (Hay que comprender, interrumpió la lombriz con raro énfasis y erudición, que el instinto seductor es intrínseco y vaga a través del silencio del cuerpo y pertenece a la esencia misma de la mujer. Dormida o despierta, lo posee, pensando o sin pensar, usándolo o no, ni su primer lloriqueo, la primera vez que amamanta, cuando llora, cuando gatea y empieza a caminar, y crece y llega a ser lo que es, sin saberlo, sin darse cuenta por qué o para qué. Ese misterio ilusorio, dentro y fuera de sí misma.

Se extiende por toda la piel, articulando mil lenguas invisibles que nunca dejan de hablar. Está en los mechones del cabello,

los ojos, el color de la piel, la suavidad del rostro, la elipsis de la
nariz. En la curva de los labios, la boca entera, todos sus gestos, en el hechizo de sus movimientos. Está en el ombligo, en
el diseño, la sensación y el contorno de las piernas, en el pie, en
los dedos del pie. Hubo kirios que se mataron por un talón. Aun
hoy hay hombres que se baten a duelo por un simple mechón de
cabello. Que se despellejan uno al otro por una uña del pie.

En ninguna otra parte aparece la seducción como en los
senos, ya que fue allí que el Creador sublimó toda la sensualidad
de la mujer. Es lo que hace despertar el deseo en el hombre, admirar qué hermosa es la cosa, y presenciar el origen de un impulso
insoportable de morderla. Ella necesita ese mecanismo porque
no estaba equipada como la lombriz o ni siquiera su prima la
serpiente. Lo que, faltándole ese pretexto, no obstante, logra el
mismo efecto. Sin embargo, una mujer sin nada de eso, sin senos,
sin labios, sin ojos, sin cabello ni un meneo lírico de la cintura, la
seducción total, ¿qué diferencia hay entre la mujer y la paja seca?

La lombriz parecía más altanera y más orgullosa que nunca.
Se lamió los labios con una tremenda satisfacción y la coquetería
de una jovencita admirándose en el espejo.

Después de terminar el seno, el Gran Kirios miró sobresaltado, volvió a mirar, orgulloso de sí mismo, embelesado, admi-
rando su obra y viendo que era buena, era sublime, no cabía duda,
no había nada que pudiera compararla

Luego pausó de nuevo y reflexionó. Es necesario comprender
que estas reflexiones tomaron días y semanas, hasta años enteros.
Pasó un siglo delineando el contorno de las caderas. Cinco años
para la nariz, un milenio para la boca entera. Y esto fue después
de haber creado los animales. Ahora, con la mano en el mentón, extendió un dedo y se frotó el labio. Y vio ante él la boca

diminuta de la rosa. Nació el ombligo. Lo que fue una fuente seca en la preconcepción de otra, más allá. Después caminó de atrás para adelante, giró en un pie, flexionó el talón. La idea le daba vueltas en la cabeza como un ciclón, una hoja en el viento. A veces, las ideas parecían eludir al Gran Kirios, como si fuera "el que la lleva" y jugando al escondido. O algún otro juego de niños. Concebía y no concebía. La idea iba y venía, con Él persuadiéndola, luego soltándola, y volviendo a ser persuadido de nuevo. Imaginaba claramente y luego con confusión, el efecto visual, el ángulo, el contraste, diseñando el perfil otra vez. Todas estas costumbres serían copiadas por los pintores surrealistas, por Picasso y Dalí. Y Cícero Días. Se dice que este último silbaba aun cuando dormía. Lo sabía y lo hacía a propósito, deseando ser admirado y recordado entre los artistas. Imitado por pintores de genio. Ya sea en el modo en que se frotaba la nariz, silbaba o se rascaba la cabeza, quería verse en todos ellos, aun en los poetas faltos de inspiración y los escribas con mano de palo.

En este punto, el Kirios pareció engreído y vanidoso. Si cuando llegamos a cierta edad comenzamos a perder el intelecto, a hablar y actuar estúpidamente, ¿qué se puede decir de uno que ha existido para siempre? Allí estaba el Creador. Algo frívolo, si bien majestuoso y digno. Bajo la higuera, en el sol de mediodía. Acostado de espaldas, la cabeza en las manos cruzadas, apoyado en una piedra. Una pierna levantada sobre la otra. Su mirada fija en el horizonte, pensando. En efecto, no parecía ser el Todopoderoso. No era panzón, y seguramente no lo sería nunca, aun si la insinuación de un mirador empezaba a aparecer. Al hacerle señas a una hormiga, ésta le trajo una hoja para mascar, lo que tuvo el mismo efecto que un buen vaso de vino.

Ahora titubeó sobre qué hacer con los órganos sexuales,

donde quería implantar misterio, encanto, el porqué de todo en la naturaleza y en la mujer. En unos animales les había dejado los órganos expuestos; en otros internos y desapercibidos. En algunos, protegidos por un relleno de piel, en aún otros, sin nada de protección. Finalmente, incapaz de llegar a una conclusión apropiada, optó por una solución temporaria. "Bueno, ¿por qué no?" dijo, con un gruñido tajante y desilusionado seguido de un chasqueo de la lengua, una antigua costumbre, cuando se le ocurrió una idea fructuosa. Y le dio ambos a la mujer, expuestos y hermosos, como el pistilo de una flor.

Innegable eso, en aspecto y todo, era una obra de la concepción más sutil. El Gran Kirios se había superado. Porque era como una semilla, capaz de abrirse en miles de Evas y miles de Adanes.

En la primera etapa del plan, la mujer se fertilizaría ella misma. Es decir, llevaba en ella el órgano masculino con el cual producir al hombre y a ella misma, en un acto singular de amor. El pene curvaba hacia abajo y se encontraba con la vulva, que penetraba para inyectar el líquido en sí misma sin mayores complicaciones. El parto infaliblemente producía trillizos: tres machos, tres hembras, o dos de uno y uno del otro, cada vez. Un proceso natural y necesario para acelerar la propagación de la especie.

El hombre, por lo tanto, vino de dentro de ella, oculto en una semilla, como parte integral de ella misma, como el corazón, los ojos, los senos. Algo que ningún kirios había pensado jamás, mucho menos hallado una manera de llevarlo a cabo. Con la creación del sexo completo en la mujer, el Gran Kirios concluyó la obra de la creación.

Habría hombres, dijo la lombriz después de una breve reflexión, que heredarían en sus genes el recuerdo de ese instante y nunca perdonarían el cambio. Esa fase temporaria, por breve que fuera, era simplemente un intervalo con la idea de perfeccionar el concepto antes de finalizar la obra. Como en todo, el Creador intentó varias formas antes de decidirse por una que le gustó. Antes de llegar a la perfección. Esto explica, por ejemplo, los diversos tipos felinos que precedieron el león, los diversos insectos que vinieron antes de la abeja melífera, los diversos tipos de flores antes de la rosa, Y, entre esos diversos tipos, la variedad infinita.

Con inexorable e incoherente envidia de la mujer, los hombres harían cualquier cosa para reemplazarla. Adoptando, en un simbólico transvestismo, su complexión física y sicológica. Amándose de verdad, casándose, haciendo el amor. Pasan la vida aspirando y contemplando en sí mismos la condición de mujer. "¡Qué sublime sería poner en práctica la idea original del creador de auto fertilización!" piensan, soñando y en un estado de delirio. Para eliminar la necesidad de ella, la rival perenne con su físico envidiable, divino, diferente y excepcional. Sin pensar en la paradoja, la ridiculez de la empresa. Sin los instrumentos naturales del apareamiento y satisfacción. Después de todo, ¿dónde estaban los divinos senos, la vulva rosácea y dorada, la cintura meneándose a la ondulación de las caderas que marcan la orquestación? ¿Las mil y una lenguas ocultas que hablaban en la superficie de la piel? Pero ellos insistirían en robar todo eso para sí mismos, aunque sólo fuera el tacto y, en el deseo, los mismos derechos, los mismos privilegios. Deseaban completarse uno al otro, para que la naturaleza pudiera dar un salto ciego y frustrado para llegar al otro lado. Desesperándose, un abismo síquico y mortal. Hombres así existieron entonces y existirían siempre, experimentando en su carne el drama de la ambivalencia, criticando el serio error de Quien los creó. Porque en efecto hay descontentos, dentro y fuera de la piel, algunos rechazaron en la carne y la mente el proceso creativo, unos atrofiados en el sexo y el amor. Quizás sin ser culpa suya. En absoluto nada, ya que nacieron así, y tarde o temprano se inclinarían en esa dirección. Excepto cuando lo hicieron. Censurables tales incidentes porque por más que estuviera muy de moda, denigran y corrompen la dignidad del sexo en el hombre y la mujer apartándose de la Naturaleza fértil en el objetivo, el método y el procedimiento. Hombres-mujer. Mujeres-hombre. ¡Qué irregularidad recóndita se escabulló de las manos del Creador! Sin embargo, la tragedia se inmortaliza en sí misma. Mujeres hermosas aprisionadas en los cuerpos de hombres. Hombres bien parecidos encadenados en los cuerpos de mujeres. El Creador debiera avergonzarse y renunciar públicamente al gran error que cometió.

La lombriz continuó demostrando su destreza sobre el tema de biosicología:

Para recalcar todo y acentuar la belleza, era necesario oscurecer la imagen, darle sombra, un claroscuro en las curvas. De esta manera, él creó cabello que caía más allá del ombligo y colgaba sobre la hermosa fuente circular sonriente en medio de la nave como la corola de una flor.

Se creó a la mujer durmiendo todavía en el barro, los senos apuntando hacia el cielo, secándose en el sol. Los había diseñado bien con total afecto y cariño. Había pasado un milenio entero en el proyecto. Una mona que pasaba cerca se sorprendió, se rascó el pecho, silbó, pero partió en silencio con un paso de auto admiración, obligándose a tragar el gusto amargo de la envidia. Agapé, sin embargo, al verla, se le acercó con disimulo al Gran

Kirios, le tiró las orejas cariñosamente y dijo, "Oye, mi Viejo, no seas tan presuntuoso. Eso allí no es tan original como te crees. Inconscientemente, todo lo que hiciste fue reproducir una pálida imagen que no quiere salir de tu cabeza, ¿verdad? Hiciste un gesto elegante y un *fox trot* rápido atrás y adelante. Empezaste a criticar las partes privadas, la totalidad, la angularidad. Falta esto, eso es demasiado, aquí, allí, en todas partes. Sería mejor de esta manera; es mejor de otra manera". Y hablando, expresándose gesticulando, abrió sus finas vestiduras de tejido transparente y le mostró cómo eran los senos originales, la fuente de labios húmedos, entreabiertos, que Afrodita intentó de apresar tantas veces, y ella, para poner a salvo su patente de originalidad, obligó al Creador a cubrir la fuente de la mujer con vello suave y darle la forma que ha sido conservada hasta el día de hoy. Después del cual, Agapé dio vueltas en sus irresistiblemente sensuales piernas de alabastro.

Dijo él, embelesado, "¡Tienes razón! ¡Tienes razón! ¡Amor fecundo!" El beso que cambiaron duró puestas de sol y mañanas sin fin, al aplauso frenético de las estrellas y el clamor de los animales de la Tierra. La mujer seguía soñando. Anatema para los pintores de genio que desatendieron uno de los momentos más sublimes del arte conceptual: el beso de Adonis y la mujer soñadora.

Capítulo Dieciséis

Existen varias versiones de cómo creó al hombre el Gran Kirios, una de las cuales es que Él arrancó violentamente el pene de la vulva de la mujer. Ese perro fabuloso y brutal del paraíso, peleando con su compañero, yacía enojado en un rincón. Apesadumbrado y triste, después de tres días en ayuno, el cuarto día salió y tropezó con la mujer que el Gran Kirios creó de barro y dejó a secar en el sol. Viendo esto perdió el control, mordió a la mujer y se escurrió con ella en el hocico. Sin poder seguir el ritmo del perro que corría, el Gran Kirios saltó, pero juzgó mal la distancia y la única parte de la mujer que sobrevivió fue el pene sangriento en sus manos. Se inspiró y sonrió, proclamando a todos los rincones del mundo: "¡Que haya hombre!" Y así apareció el rey de la creación.

Por mucho tiempo, esta versión que los historiadores/filósofos Zildenstein y Juracyvish descubrieron en algún volumen de mitos cubierto de polvo estuvo de moda.

Otro informe que encontraron sostenía que el hombre no había sido creado por el Gran Kirios sino por Agapé, su esposa. Celosa de la mujer y viendo en ella una rival potente y misteriosa, con ese pene plantado en la parte más alta de la vulva, que no sabía qué era o para qué servía, en el momento dado, le pareció como una serpiente, un escorpión listo para atacar, o algún instrumento astuto y malicioso que la mujer podría utilizar en cualquier momento para subsistirla en el arte de hacer el amor. Por lo tanto, lo sacó de un tirón con la intención de dárselo de comer a los perros. Sin embargo, el pene empezó a crecer y crecer en sus manos y rápido se hizo hombre, delgado, apuesto y musculoso. Cariñoso y amable al lado de la mujer.

Sobresaltada por la presencia del hombre, cuya imagen parecía ser igual a la de su Kirios, comenzó a desearlo, a envidiarlo, como si él fuera una parte de él en vez de parte de la mujer. Lo ocultó en el bosque, visitándolo en secreto. Un día, el Gran Kirios la sorprendió y preguntó:

"¿De dónde vienes?"

"De bañarme", dijo.

Él, intuyendo que mentía, entró en el bosque y descubrió al hombre desnudo, sentado en una piedra en el medio del manantial. Concluyendo que era su amante y un presunto rival, lo lanzó al suelo en medio de los animales. Agapé, en venganza, hizo lo mismo con la mujer.

El motivo por el cual, hasta el día de hoy, ningún hombre tolera ver a otro con su mujer, y ninguna mujer puede soportar que otra esté con él. Este probable origen de la humanidad ha quedado intacto por miles de años, a pesar de que los historiadores no estén de acuerdo y lo clasifiquen como una leyenda por no estar conforme a los hechos. Ahora, como sabemos, hecho y leyenda han estado en desacuerdo desde tiempo inmemorable. Pero, en una cuestión tan importante, ¿quién va a regir a favor de los hechos?

Hay que recordar, sin embargo, que, en su juventud, el Gran Kirios había sido el campeón reconocido del maratón estelar. Una pista que abarca un billón de estrellas, saltando de una a la próxima sin parar. Había ganado de forma admirable, dejando años de luz atrás a los otros kirioses. Júpiter, el más arrogante y presuntuoso, temido por sus rayos mortales, terminó un vergonzoso segundo. Urano, quien creó todo el oro y los metales preciosos en el universo y por la razón que todos lo vitoreaban, llegó un lejano y humillante tercero. Saturno, el más deprimente de los corredores, caprichoso, colérico, era lo que aquí llamamos "un ganador inesperado". Sin ser el favorito, correría a toda velocidad al final y ganaría la carrera contra toda expectativa. Aun así, terminó en cuarto lugar, jadeando de agotamiento. Neptuno, nieto de un kirios que devoraba a sus enemigos y por lo tanto la gente temía ser comida viva si no ganaba, inventó el sobrinazgo inadvertidamente. Burlado cuando llegó quinto, los pulmones prácticamente colgando de la boca. Vulcano, temido por su fuego y violencia, tomó sexto lugar. Justo atrás, Plutón, a quien no reconocieron, quizás porque era demasiado pequeño, un enano al lado de los otros. Además, se olvidaron de inscribir su nombre. Fuera de éstos había otros, docenas de kirios de todas partes, del Oriente, el lejano Norte, el polo sur, sin contar a los competidores adicionales del Nilo Alto.

Antes de la carrera hubo un desfile en el cual los competidores se distinguieron con bailes regionales y acrobacia. Capoeira, un deporte coreografiado de origen felino que ocultaba la intención de un ataque traicionero y una defensa ilusoria, se exhibió por primera vez.

Todos los kirioses ancianos vivían en palacios dorados en los siete puntos del orbe. La mayoría de ellos ya no están, nadie sabe cómo o por qué—quizás una de esas epidemias seculares que diezman razas enteras. Hoy están olvidados en la noche de los tiempos. Se dice que Júpiter y su corte en realidad no murieron nunca y un día volverá para reclamar su trono como el Rey de la mitología clásica, la religión principal de esos días.

El Gran Kirios, el campeón de una mitología diferente,

había sido decorado con una estrella en el pecho y la selección de la mujer más hermosa. Adone, su hermana gemela, que Él ignoraba, pero ella sabía quién era, separados desde la infancia, secuestrados por Júpiter cuando ella era jovencita, cuyo nombre significaba "máximo placer". Cuando se casaron, el Gran Kirios, siguiendo la antigua costumbre, le dio el nombre Agapé, que significa "amor sublime". Nada de eso es fácil de reconocer. Júpiter le hizo la corte desde la niñez. El Gran Kirios también la deseaba desde la niñez, cuando un simple intercambio de miradas encendió el amor en los dos.

En el momento de la entrega de los premios, un Júpiter indignado avanzó ferozmente hacia su rival con dientes y uñas. Libraron una batalla como dinosauros. Golpes, movimientos de capoeira y táctica marcial, popular entre los kirioses del Nilo Alto. Fue la mayor conmoción en el cielo desde el alba de los tiempos en una tradición de centauros famosos que se pelearon a muerte, cuando una mujer centauro no podía decidirse entre ellos. Según las reglas, nadie podía escaparse vivo. Cualquier disputador que sobreviviera por casualidad tenía que matarse, la pezuña sobre el cuerpo del rival, después de recibir el codiciado trofeo de besos de los labios de la amada. Entonces, ella también se mataría. A esto le seguiría una ceremonia de bodas póstuma, más solemne y suntuosa que la boda entre los vivos, con el rey y la reina presentes y el país entero festejando. Se llevaba en triunfo a la pareja por las calles. La celebración duraba días. Después de la cual, mientras el centauro derrotado ardía en una hoguera, se enterraba a la afortunada pareja de pie en una tumba compartida donde se erigieron monumentos a la posteridad que transformaría su amor en leyenda.

Todo el mundo estaba alarmado, con temor que ocurriera

algo semejante. Entonces apareció Agapé en un traje de novia negro y llevando un puñal contra su seno desnudo. "Se mataría allí mismo, a menos que dejaran de pelear". Júpiter, ya en el suelo, sin aliento, ni moverse por el dominio total que había sufrido, se rindió por fin. Hicieron la paz, o mejor dicho, llegaron a un armisticio. Se dividiría el territorio, cada uno con sus propias creencias y tradiciones. Júpiter tomó posesión de la mitología clásica, mientras que el Gran Kirios fue aclamado el Señor Todopoderoso de la Biblia.

Júpiter, sin embargo, juró que algún día se llevaría de vuelta a Adone. Por lo tanto, continuaron infligiéndose guerras y daño. Y lo que parecía a primera vista ser meros accidentes era en realidad la furia de aquéllos dos rotando alrededor del mundo. Según los expertos, la desaparición de Atlántida, la destrucción de Sodoma y Gomorra, el diluvio, la Torre de Babel, las erupciones del Vesubio que arrasaron Pompeya y Hercúleo, la peste bubónica, el terremoto de Lisboa—en breve, todas las desgracias que acosaron la humanidad no son más que la venganza de aquellos gigantes, que a causa de una mujer se despedazan en una lucha a muerte.

Capítulo Diecisiete

El auto había concluido, el telón había caído. A pesar de los dolores de estómago anteriormente, el Gran Kirios aplaudió la perfección de la comedia/del drama. El arte original de los actores, principalmente la lombriz en el papel de Eva, Adán en el suyo, el elefante en el papel del Gran Kirios, una gata que actuó como Agapé, el perro que se representó a sí mismo, muy envidiado porque recibió más aplausos que el resto. El Gran Kirios, al lado de Agapé, el prototipo de Eva, a quien abrazó y besó por haber concebido un drama tan animado e intenso.

Capítulo Dieciocho

Todas las tardes asistimos a una representación diferente al aire libre. Alternando entre drama y comedia. Fue al grano donde la gente exigía algo más picante e insistía que Eva nos diera una tragedia. Objetó, diciendo que la tragedia era por naturaleza un género peligroso, arriesgado y violento con repercusiones sicológicas imprevisibles. Además, no había un tema apropiado por ahora, ni tampoco actores entrenados para eso. Insistieron tanto, tanto, que terminó cediendo y poco a poco concibió una idea. Pero todavía no sabía cómo darles cuerpo a los diálogos y escenas, ni siquiera qué materiales necesitaba.

Capítulo Diecinueve

Una noche de verano con un calor abrasador. Eva estaba sudando en frío, agotada, cuando terminó de relatar el cuento de los ángeles malos que se rebelaron y fueron expulsados al abismo. Los niños dormían. Al contrario de lo que se esperaba, no hubo una salva tradicional de aplausos. Todos estaban contritos, temerosos, les faltaba el valor de encontrarse con la mirada del Gran Kirios. Una amenaza mortal rodaba sobre sus cabezas. En su parecer, el telón no se había caído todavía. El mismo Gran Kirios y Agapé demoraron en abrazar a Eva. Sí, elogiaron la obra, pero de un modo moderado y reservado. Por primera vez midieron el alcance del genio de la mujer. Estaban perplejos de ver sus secretos expuestos en el escenario. Porque todo lo que aparentaba ser pura imaginación en realidad había ocurrido en alguna forma, u ocurriría en otras circunstancias, proporción y ambiente. Había que prestar atención a la intuición y las facultades de la mujer. Era capaz de imaginarse cielos, infiernos, y los mitos que los crearon. De poblarlos con kirioses y demonios que se apuñaban a muerte. Y hacerlos parecer reales. Sus creaturas eran impresionables, y en general, sumamente creíbles. En tragedias subsiguientes, Eva debe consultar con Él de antemano y detallar el argumento y el contexto. "Es peligroso", pensó, "con sus recursos la mujer puede convertirse en un tipo de ángel malo entre nosotros".

Todo ello, sin embargo, por lo impresionante que fuera, había sido simplemente pura imaginación de parte de Eva. Como ya se ha dicho, ella relataba sus cuentos oralmente antes de ponerlos en escena. Dependía de una reacción exitosa del público. Estaba convencida de que nunca llegaría al escenario. Necesitaba cambiar tanto que sería más sencillo inventar otro. Una verdadera tragedia, muy emocionante, el tipo que pedían. Es decir, humana, universal. Pocos allí se preocupaban por la suerte de los ángeles cuya presencia entre ellos era sólo sombra y fantasía, voces inconstantes perdidas entre el azote de las olas y el coro de los vientos. Al mismo tiempo, Eva, viendo que la rebelión de los ángeles había dejado una impresión negativa en el Creador y aprensión en sus creaturas, deseaba recuperarse del fracaso lo más pronto posible. Enfocándose en el poder y la majestad del Gran Kirios, Señor del Universo y la condición de sus creaturas, como hijos humildes y obedientes que dependían de Él para todo. Lejos de ser fácil, sin embargo, diseñar algo así. Pasó días sin interrupción pensando y escogiendo antes que un tema le ocurriera que fuera de su agrado. Y fuera convincente.

Un cierto presentimiento comenzó a fastidiarla desde el momento que le apareció la idea. No pudo llegar a una decisión satisfactoria. No podía ver claro ni el guión ni las reacciones del Creador. Primero consultó a Adán, que encontró fabuloso el argumento. Excelente, de hecho, aunque fuera arriesgado y sujeto a interpretación errónea. Tendría que esforzarse más en la fraseología, los detalles, los portadores de la impresión final, tomando en cuenta los diversos niveles de comprensión del público. Y pensar cómo lo recibirían el Gran Kirios y Agapé, pensar en los kirioses en el Olimpo que deseaban ser incluidos, conociendo su implicación en dramas recientes. ¿Debe invitar a Belcebú, el kirios supremo del Nilo Alto, por la misma razón? Este grupo seguramente sería el más difícil de satisfacer. A diferencia de los animales, que exploraban el lado cómico de la obra y sólo les interesaba provocar risa. Los humanos, sobre todo, que no se comprendían entre sí, sin hacer caso al pasado ni al futuro, estaban más preocupados que nadie.

Eva sacudió la cabeza. De cierto modo, a ella y a Adán les parecía que la última impresión no se les borraría jamás de la mente, obligándolos a recordar el drama/la tragedia en carne y hueso por el resto de su vida. Especialmente Caín, casado con su hermana, eternamente mal humorado, pero de una inteligencia perspicaz y buen sentido sin par, que criticaba todo, malicioso, sospechoso, pendenciero. Ella debe hacer claro que la rebelión contra el Gran Kirios fue un crimen imperdonable con pena de muerte, lo que es decir parálisis total de los sentidos. Sin explicar exactamente. Hasta había llegado a creer que el sueño era algún kirios misterioso que se los llevaba cada noche a regiones que habitarían algún día. Morían de noche, por así decir, pero volvían a vivir al despertar. Sueño misterioso, una de las cosas más inteligentes que había hecho el Creador. Otra sería la conciencia del mundo que la rodeaba. Usándola, se devanó los sesos durante la noche hasta tarde. Y Él, viéndola, nunca explicó nada.

La impresión final, dijo Adán, era buena, aunque debía crear anticipación, suspenso. Más símbolos, algo enigmático, algo explícito, siguiendo un paso igual al argumento, del principio hasta el fin. Eva estuvo de acuerdo. Después de una discusión sobre el reparto, qué nivel de lenguaje usar, largura y decorado, los dos estaban seguros que con esta obra ella se redimiría ante Él. Sin decirles a los actores cómo terminaría, decidió llevar al escenario lo que llegaría a ser conocido en la historia como "la tentación de Eva" y "el episodio de la manzana".

Corrigió, cambió todo del principio al final, aplicando los últimos retoques a los papeles, uniendo todo en el guión con la

lógica a la cual cada imagen, cada palabra, cada coma debe obe-
decer. Analizó todo usando varios enfoques, diversos estados de
ánimo que la atacaban día por día.

Repartió los papeles. La serpiente haría el papel de sí misma.
Como también Adán. La puesta en escena sería la plaza central
del paraíso con un árbol en el centro. Para el papel de Eva había
elegido a la lombriz, una actriz genial, versátil, la más talentosa y
competente del elenco. En el último ensayo había competido con
la serpiente y ganó unánimemente con el jurado, encabezado por
la jirafa que estaba descontenta y gruñó que la discriminaban en
contra por su altura y "excluida de todos los papeles". El cama-
león, el lagarto, la víbora, más que nadie la serpiente, que hacía
crujir los dientes de envidia, arrollándose en un rincón, sacando
la lengua cada vez que veía a la lombriz. Agitando el cascabel en
el rostro. La lombriz fingía no darse cuenta, aguantando todo
con paciencia, dignidad y clase que exigía el papel, viviendo el
drama y personificando el temperamento y los modales de la persona que interpretaba, aun fuera del escenario. "Noblesse oblige",
la norma de comportamiento que adoptó mucho antes que los
franceses la descubrieran. Observadores delicados de buen
gusto, copiaron al pie de la letra nuestros gestos y costumbres,
difundiéndolos en Europa y las cortes alrededor del mundo.

"¡Serás maldita entre todos los animales! En tu ceguera te
romperé la cabeza si tratas de morderme el talón", dijo en una
sola voz el coro de lombrices que se había quedado en un rincón
del escenario, vestidas de negro, sombrero blanco y una pequeña
corbata de seda, expresando los sentimientos que representaba la
virgen carismática, poniendo un pie en la serpiente. Luego, los
teólogos atribuirían conceptos originales a la mente del Creador.
¡Un nacimiento inmaculado sin penetración! Quizás inspirado

por mitos orientales.

Justamente a causa de esta maldición, la serpiente anduvo muerta de rabia, amargada de su suerte, temblando en sólo pensarlo. Viéndose batida y aplastada por "esa lombriz asquerosa", aunque no fuera verdad. "¡Maldito sea! ¡Qué mala suerte la mía! ¡¡¡Te esconjuro, cosa maldita!!!"

La serpiente entonces empezó a chismear. Comenzó una campaña despiadada, difundiendo la idea que sólo Eva debería representarse a sí misma. Que el papel más importante no podía dejarse en manos de una imbécil como la lombriz. Al mínimo le faltaba la estatura requerida para enfrentar a Adán. La lombriz respondió al instante que lo que hace un actor es talento y el arte de crear una ilusión, identificándose con el personaje que interpreta. Haciendo reír, llorar, sentir emoción al público. Provocar una catarsis emocional es el objetivo del drama. No tiene nada que ver con la estatura física.

Y se refirió a un drama reciente que pusieron en escena las hormigas, representado con mayor éxito sobre un gigante empobrecido de tierras desconocidas, que vino a robar el mundo, llevándoselo en los hombros. Con pasos hercúleos, derribando muros antiguos, derrocando templos sagrados, arruinando estatuas de antiguos héroes y kirioses, cruzando montañas y ríos, impasible a las piedras y flechas que le lanzaban, sin que nadie sintiera en lo mínimo que no hubiera un gigante verdadero en el escenario.

La serpiente estaba enfurecida, torciendo la cola y enroscándose a un árbol sobre la naturalidad de la lombriz. Estaba tan furiosa que estranguló la higuera.

Eva se mantuvo firme en su negativo de no representarse a sí misma. Después de todo, era la primera tragedia con actos jamás puestos en escena en el mundo, y abordando la esotérica eterna, una tarea muy difícil, exigía alguien que supervisara la empresa, se ocupara de los papeles, sirviera de apuntador a los actores y dirigiera la obra desde el comienzo hasta el final. En verdad, estaba arriesgando de nuevo todo el prestigio acopiado en esto. Por otra parte, su visión, su filosofía de la vida, sin certeza de cómo pudiera interpretarlo el Gran Kirios. No iba a consultarlo, a pesar de todo. Quería que fuera una sorpresa durante el drama. A pesar de la admonición inicial que le había dado, decidió proceder. Lo mantendría en suspenso, embelesado desde el abrir y cerrar del telón. El último acto corona la obra. Adán estaba de acuerdo. "Arriesgado e intrigante, sí. Pero ninguna obra importante se hace sin demoler las vedas sobre las órdenes de evidencia y el sentido común. ¡A las tablas, mi sapodilla!" Fue la última vez que la llamaría así.

Recordaron que la lombriz había demostrado incomparable talento, llevando al escenario la primera noche de amor entre hombre y mujer. La hizo una estrella. Hasta el Kirios no pudo retenerse, fuera de sí con alegría. Hechizado, había ido a Eva y dicho, "Esa chica es un prodigio. En la escena final, se podría imaginar a Adán revolviéndose en la cama contigo".

Todo estaba a mano. Se representó el Árbol de la Ciencia del bien y del mal. Colocado en alguna parte en el centro del paraíso. Nadie sabía lo que era el árbol. Sí sabían, sin embargo, que el Gran Kirios había ocultado la semilla de toda la creación en un lugar que nadie imaginaba. Una semilla minúscula, más pequeña que un grano de mostaza. Eva, con su astucia, un día descubrió dónde estaba la semilla, guardada detrás de siete llaves que Él tenía en una cadena en la cintura. Era como si fuera un microcosmo, una palabra que ella había oído a veces, pero que sólo ahora comprendía, la condensación de todo lo creado. Con ello, Él reconstruiría el mundo si fuera necesario. Debía tener cuidado. Estaba enterado de los actos de sabotaje que Júpiter preparaba constantemente y la de ese hermano suyo de las tinieblas, el barbárico, caprichoso Belcebú. Todos los días observaba nubes negras formándose en la distancia, cubriendo los picos plateados del Nilo Alto, donde se hallaba su palacio y donde rayos furiosos trituraban el cielo y hacían temblar la Tierra. Las personas más instruidas comprendían que no pasaban de tormentas y huracanes. Con todo, los profetas y la gente corriente sospechaban que estaban presenciando el espectáculo pirotécnico de los inmortales kirioses. Que crean. Manteneos en una tranquila ignorancia, o sabiduría, sin gran consecuencia para nadie. Aun así, el Gran Kirios fomentó inquietudes que Eva misma no comprendía.

La semilla mágica se llamaba del bien y del mal. Porque contenía en sí los genes del bien con el poder de crear y recrear todo otra vez y, al mismo tiempo, los genes del mal, que de pronto destruirían todo. Por lo tanto, Él insistía en guardar la semilla en un lugar totalmente inaccesible e imaginable, porque Él amaba el mundo y sus creaturas. Sabía que sería el fin de todo si cayera en manos de sus enemigos.

Un día, el Gran Kirios dormía un rato a la sombra de su higuera favorita en el entumecimiento del mediodía, después de unos tragos de un buen vino encabezado. Le encantaba ese vino, perfecto para un sueño restaurativo especialmente preparado por Eva con segundas y terceras intenciones. Ella se acercó furtivamente y sacó la llave entre las muchas que colgaban en su cintura, que Él soltaba cuando dormía, dejándolas en el suelo. Y robó la semilla. Sí, robó, pero en otro sentido y con la mejor intención. Para el objetivo que tenía pensado. No era robo en el sentido moral y legal, sino más bien un préstamo con la intención de crear suspenso en su drama. La pondría de vuelta allí más tarde. "La última parte es el coronamiento de la obra", pensó. Un principio que llegaría a ser un lema en el escribir de Machiavelli.

El Gran Kirios le dijo a Adán al conferirle el paraíso: "Puedes comer todos los frutos del paraíso, salvo del árbol del bien y del mal. Porque el día que comas de eso, te sentirás como Kirios, igual a Nosotros . . ." Ese "Nosotros" se refería a Él mismo y Agapé. Eva explicó esto, como todo lo demás, con énfasis y cuidado por los detalles más insignificantes, para evitar cualquier error o interpretación errónea. Había personas allí de comprensión limitada, mientras que otros con malicia no se perderían la oportunidad de restarle importancia al tema, fomentar confusión y acusar a otros mientras fingían inocencia. Pues, la manzana no tenía que ser una manzana de verdad, porque de ese modo perdería el deseado efecto dramático. Sólo era una semilla de manzana. Un símbolo. La semilla del "bien y del mal", de la que todos hablaban pero que nadie había visto jamás, como explicó ella. Una farsa sicológica, la clase que disfrutaba el Gran Kirios. Nunca había tenido la intención de poner en las tablas una escena de desobediencia formal como tal, sino más bien como un acto de merecido castigo, algo tan maligno que todos condenarían cuando lo vieran. Pensaba mucho menos insultar y provocar a Él en público, el Padre, todo Benévolo y Sabio, el Kirios omnipotente del mundo. ¿Quién se atrevería hacer algo así? ¿Quién?

Además de lo cual, Eva era monárquica de temperamento y convicción. De vez en cuando se hacía ilusiones y soñaba de algún día ser reina, alguien de quien el Gran Kirios se enamoraría y llenaría el mundo con hijos varones. Todos ellos príncipes y herederos de los tesoros del cielo. Sin aclarar la suerte de Adán y Agapé, sus parejas. Mejor así. Eran sueños circunspectos que dejaban todo como se encontraba. Un sueño, sólo un sueño, sin causar consecuencias en la vida de nadie.

No, ella nunca aprobaría la táctica de la Revolución Francesa ni de los masones norteamericanos, mucho menos la conspiración de la serpiente. El árbol del bien y del mal, que no apareció, y por lo tanto no existió en la obra, plantado allí en el centro del paraíso, era puro simbolismo.

Había diseñado un drama con alta tensión, que agradaría a diferentes personas, al Gran Kirios, hombres y animales, en varios niveles de sentido y comprensión. Eva pasó día tras día explicando a cada actor o actriz su papel, sin divulgar a nadie el secreto del final.

Era esto: la serpiente llevaría la semilla en la boca y se la presentaría a Eva (la lombriz), seduciéndola para que la comiera, "porque el día que lo hagas estarás llena de poder y sabiduría, con conocimiento del bien y del mal, capaz de crear cielos para los que amas, e infiernos para los que odias, inmensas riquezas, tesoros sin par, palacios lujosos, una eternidad dichosa a tu antojo, sin tener que responder a nadie tan poderoso como el Kirios que te creó". La lombriz, después de mucho titubeo y evasión, irresoluta e indecisa, tomó la semilla y temerosamente la levantó a la boca. La semilla, sin embargo, se cayó al suelo. Un viento la barrió al centro del paraíso. Y de pronto el manzano estaba sobrecargado de hermosas manzanas. La lombriz no pudo resistir. Mordió una. Se transformó en una Kiria y reina. Hermosa, rica, poderosa, inteligente, la envidia del mundo. Y todos vieron y se maravillaron de la transformación. Ella empezó a temer su propia metamorfosis. No quería ser tan hermosa, ni rica, ni poderosa, ni inteligente toda sola. Fue un delirio demasiado repentino para su frágil psique y físico. Le ofreció la fruta a Adán que también comió y asimismo se transformó en un Kirios, fuerte, poderoso en su aspecto y magnifico en estatura. Los demás presentes estaban ansiosos de consumir la manzana, todos ellos anhelando experimentar una pizca del exquisito secreto. Hasta los grillos y mosquitos querían ser kirioses también. Sapos y otros batracios lucharon al atardecer. "Un bocadito basta para la gran transformación", chilló el loro, vendiendo por bananas su lugar en primera fila. Entonces vino el Gran Kirios (el elefante), furioso y después de interrogar a los culpables, les condenó a la extinción. El mundo llegó a su fin. Cayó el telón. Los transgresores del orden establecido habían tropezado con su destino.

Como Eva lo había anticipado, la trama sirvió como una lección perfecta para los orgullosos y los soberbios. La malicia crónica, la desobediencia convencional, el orgullo, la envidia, pecados primarios—todos castigados por la extinción total del mundo creado y todos los seres que contenía. Sin dolor ni misericordia. Indisputablemente, una solución ingeniosa. En el último ensayo, Eva finalmente explicó. Todos aprobaron el guión y esperaban sorprender al Gran Kirios con una gran tragedia filosófica hecha a su gusto y estilo y no las habituales payasadas. Todos estaban de acuerdo que era la mejor obra jamás producida.

La serpiente se excusó en seguida, diciendo en tono acusador que Eva había planeado todo y que ella, la serpiente, simplemente había seguido el guión) para vengarse contra Eva y hacerse odiar por el Kirios, arruinó todo, con intención perniciosa. Todo a causa de su envidia de la lombriz de no haber conseguido el papel de Eva sino ése de ella misma. La verdad es que siempre se había odiado. Se había quejado de su figura, la falta de curvas sensuales, aun para ella, que nunca envidió a nadie por nada, ya que se consideraba en extremo atractiva, la más bella de los animales, y odiaba tener que arrastrarse por el suelo. Quería patas. Patas de ciempiés le quedarían muy bien. Cabello, boca, nariz, una vulva espléndida abajo. Sentía gran admiración por los ojos de los gatos. ¡Oh, si sólo tuviera la cola del pavo real! ¿Por qué no había nacido, por lo menos, como la lombriz, un color rosáceo, seductor, tiernamente febril, rebosante de sex appeal, alguien de quien todos parecían enamorarse a primera vista? Odio a sí misma enardece el alma y destruye las fibras del corazón. El amor que nos lleva al cielo es el gemelo del odio que nos lanza al abismo. En las manos de ambos, nunca sabemos dónde estamos, y nos importa poco el final.

La serpiente, en un aparente lapso que en realidad era perversidad, había dejado caer la semilla. La lombriz, rápidamente y sin que la vieran, la agarró antes que tocara la tierra. La infiel se acercó y le ofreció una manzana de verdad para que la lombriz la comiera, sabiendo de antemano que no podría agarrar, mucho menos morder, tal fruta. Además de la expresa prohibición del Gran Kirios- "¡No se puede comer esa fruta! Porque el día que se coma . . ." ¿Tocarla? Ni siquiera en broma. La veda era clara, severa y absoluta.

"Ese antepasado mío", dijo reflexivamente, respirando hondamente en el pecho, "la lombriz"—a pesar de su genio dramático y la aptitud para improvisar, estaba pasmada. La serpiente aprovechó esto, insistiendo, gesticulando, y amenazando. "¡Cómela, tú peste, cómela, muérdela, dale! ¡Estás arruinando la obra, y el público se da cuenta . . .! ¡Pronto van a empezar a abuchearnos! ¡Inservible! ¡Cómela, ahora! ¡Cómela!" Levantó la voz. Y el público, creyendo que era parte del acto, comenzó a aplaudir y gritar, "¡Come! ¡Come! ¡Come, lombricita! ¡Come!"

Y comenzó el abucheo. Eva, en agonía, viendo el fracaso total—su obra maestra que le había dado tanto trabajo, tantas noches de insomnio y agonía, concebida parte por parte—hundirse todo. Sin reflejar, se precipitó para salvar la obra de cualquier modo posible, susurrándole a la lombriz que simule estar mareada y se caiga, se resbale, salga rápidamente, desaparezca. Y ella misma asume el papel y da unos mordiscos lascivos a la manzana. Y la transformación fue inmediata. Eva se siente como una kiria verdadera, ardiente, lúbrica, tal como no se había visto nunca en Olimpo ni el Nilo Alto. Además de poderosa y arrogante, dando órdenes al Gran Kirios mismo, como poseída, se permitió ser dominada por el sueño de ser reina, avanza a su lecho exhibiendo sus senos rosados, su pudenda con labios abiertos adornados con vello dorado, invitándole a besarse, hacer el amor, deseando ser su pareja en la cama. El Gran Kirios, perplejo, dejó de respirar, mientras que Eva insistía que Él también comiera la fruta y se sintiera igual a ella. El Kirios, inmovilizado, se preguntó qué clase de idiotez podría ser esto, dudoso si estaba viendo un drama o una exhibición de lujuria y arrogancia. Eva, sin pausar el hilo dramático, cierra los ojos, echa los brazos hacia el cielo, y exclama de modo histérico, sin poder aceptar el rechazo ni tampoco desear ser kiria sola. Necesita un compañero igual a ella misma, e insiste que Adán coma la manzana. Más aturdido que nadie, él devora la fruta sin saber lo que hace. Y de inmediato sintiéndose como un kirios poderoso, avanza hacia el Gran Kirios y exige que Le ceda el trono y le haga una reverencia. "¡He aquí vuestros nuevos Señores, los nuevos kirioses del universo!" "¡Vamos, levántate!" Y Adán se acerca a tomar el trono. Eva se había quedado detrás de él, menos osada.

Con todo, fue una representación magnífica, una improvisación chocante para provocar la furia del Gran Kirios y por lo tanto destruir el mundo que Él había creado, revertir todo al polvo de la nada. El papel del elefante, que ella había ensayado y explicado mil veces, la pose, la voz imponente, la majestad con la cual él debía gritar, "¡Que el mundo se deshaga!" El elefante, sin embargo, tras el telón, confuso por los cambios improvisados y maniobras y esperando la señal de Eva de entrar y lanzar el grito terrible, empezó a correr de un lado a otro, levantando la trompa, sacudiendo la cola, hablando demasiado y bramando como un loco. Los otros actores le gritaron: ¡Cállate la boca! ¡Mete esa trompa en el culo! Sin saber lo que hacía, se penetró con ella y sopló allí dentro.

Todo se alocó. Aunque el público hasta ahora no se dio cuenta de nada. La tragedia en el escenario se estaba transformando en una tragedia en la vida real, mientras guardaba la apariencia de una farsa auténtica. Eva, experimentando su papel. Ella y Adán, experimentando la metamorfosis a través de la cual nunca habían pasado, presentando hábilmente, el público en suspenso, electrizado por el poder mágico de la representación.

La serpiente, al ver el fracaso de su plan, finge desmayarse y se cae temblando. Como si respirara, le grita roncamente al público, incitando a todos que coman las manzanas antes de ser aniquilados. No por el Gran Kirios, sino por Adán y Eva, dos monstruos que se consideraron superiores al Gran Kirios mismo, diciéndole que le rindieran culto. Porque si ellos también probaran la manzana, se harían sus rivales, serían sabios y poderosos como ellos, capaces de crear por sí mismos otros mundos, otras tierras, otros cielos, donde vivirían con felicidad absoluta, kirioses poderosos del mundo.

Los presentes comenzaron a avanzar como un solo cuerpo, nadie quería morir, cada uno de ellos deseaba ser inmortales, la manzana guardaba el secreto. Corrieron al escenario. Casa de locos. Caín y Abel, sus hermanos y primos. Se inculcó la desobediencia en la Tierra. La codicia, el deseo velado de suplantar al Creador.

El Todopoderoso, viendo esto, no pudo controlarse más y se puso furioso. Interroga a Eva, interroga a Adán, interroga la serpiente que sigue en el suelo, haciéndose la muerta, murmurando cosas contra los reyes de la creación. Por increíble que parezca, el Gran Kirios acepta la explicación de la mentirosa aun como la condena a pesar de todo. En todo caso, Él está completamente decepcionado y lamenta haber creado el mundo. Irritado al extremo, se levantó y gritó a todas partes: "¡Que el hombre y todas las bestias que se mueven en la faz de la Tierra no existan más!"

El Elefante finalmente aparece y grita "¡Oye, ése es mi papel!" Y repite después de Él: ¡Que todo hombre y aun bestia que se mueve en la faz de la Tierra no exista más!"

Fue lo último que se oyó. En un instante, todo se tornó ceniza. Un desierto de cenizas, infecundidad inacabable bajo el cielo. Y el Gran Kirios desapareció para siempre. ¿Adónde? ¿Adónde se fue el inmortal Gran Kirios, soberano del Cielo, la Tierra y los reinos infernales?

Sólo la lombriz, tan avergonzada, había excavado en el suelo, se quedó allí, temblando de terror, oyendo y viendo todo, pero invisible a todos. Temblando, confusa. Toda la vida en la Tierra destruida. El hombre, los animales, los peces, las estrellas y las plantas. Todo convertido en polvo. Ella sola se había escapado viva. Feliz y desgraciada al mismo tiempo, encontrándose sola en un mundo tan grande y desierto. Temía su suerte. De pronto, una inspiración: ¡la semilla! La semilla está allí, la semilla su enemiga se había caído cuando entregó la manzana. La semilla microscópica del conocimiento del bien, del mal y de la razón. La semilla de la vida. Era su papel en la tragedia. Antes que la serpiente arruinara todo. Antes que Eva la reemplazara, y ella, avergonzada, excavó en el suelo. Decidió presentar la semilla. Ah, ¿por qué no? Eva había dicho que era un microcosmo. Sin entender por completo lo que hacía, echó la semilla. Y he aquí, como en un sueño, todo apareció de nuevo. Eva, Adán, los animales, las plantas, moviéndose todo, vagando, todo como era y siempre había sido. ¿Estaba soñando antes o soñando ahora? ¿Qué era sombra? ¿Qué era imagen? ¿Dónde estaba la vida real? Hombre, mujer, pájaros en el cielo y peces en el agua. Y sobre todo, el árbol fatal en el centro del paraíso. Precioso, seductor. Lleno de manzanas hermosas. Eva y Adán se precipitaron hacia él, devoraron cuanto querían. Y después de ellos, los pájaros, los animales, tanto domesticados como salvajes, hasta los grillos y las luciérnagas, todos ellos mordiendo la manzana. Y no pasó nada. Nadie pensó más allá sobre la terrible fábula. Pero el Gran Kirios . . . Había desaparecido sin explicación. ¿Adónde? ¿Adónde?

El mundo se convirtió en el que conocemos aun ahora, a veces triste, a veces desconcertante, a veces extrañamente alegre. Con ese anhelo de los días del paraíso. Todo como si fuera un drama, una comedia, una pesadilla, y la tragedia final, una obra en colores relucientes, presentada por Eva con las mejores intenciones. No era posible que el Creador se hubiera ofendido por una obra tan inocente. ¿Qué mal condenable podría ser morder una manzana? Un mundo desierto había reemplazado el paraíso. ¿Se podía creer lo que había pasado? ¿Podría estar soñando la lombriz en realidad?

Capítulo Veinte

Eva vivió muchos años y tuvo innumerables hijos y nietos y biznietos y tataranietos. Justo en su última primavera tenía cinco docenas de tataranietos, algo inconcebible para cualquier mujer entonces o ahora. Al final de su vida, cuando le preguntaron cómo había sucedido, cómo había sido la gran tragedia, replicó: "Fue todo cosa mía. Una distracción para animar las noches en el paraíso". Y si insistían en saber qué le había pasado al Gran Kirios, Señor del mundo, se sonrojaba, más bonita que nunca, aun cuando más desgraciada, cerraba los ojos, y después de una pausa agregaba en un tono melancólico: "Fue todo cosa mía. Una distracción para animar las noches en el paraíso".

El hecho es que nadie sabía de la existencia o por dónde estaba el Gran Kirios. En el fondo, todos culpaban a Eva por la obra de mal gusto. Pero no era culpa suya, fue de la serpiente envidiosa, insatisfecha con el papel. Quería actuar junto a Adán y ser alabada por el Creador. Confesó nuestra primera abuela que, al último momento, cuando la serpiente insistía que comiera la manzana y repetía, "Cómela, inservible, cómela", y decidió asumir el papel ella misma, la serpiente susurró que nada de eso era más que el truco de un ser envidioso, evidente en los ojos, la voz y el cuerpo entero. A pesar de esto, Eva no le hizo caso y le ordenó que saliera del escenario inmediatamente, que simulara desmayarse y desapareciera en la tierra.

La serpiente, que lo había oído todo, se convirtió en su enemiga mortal para siempre. De Eva y especialmente de la lombriz. Reforzó su envidia y resentimiento por no haber guardado la semilla y perdido la gran oportunidad de recrear el mundo. Había jurado el aniquilamiento de la lombriz y la persecución de Eva, la posteridad de una, la posteridad de la otra. A causa de esto, hasta el fin del mundo sus descendientes no se sentirían seguros en ninguna parte, obligados a vivir bajo tierra donde construirían sus guaridas humildes, pasando el resto de sus miserables vidas, desconocidos al mundo, menospreciados por la gente.

Capítulo Veintiuno

Esto es conocimiento general, algo de que se habla en la actualidad. Sin embargo, el cuento de las lombrices y su influencia en la historia fue sólo el comienzo. Aquí, ella suspiró, se agitó un poco, levantó una pierna con elegancia, echó atrás la cabeza como alguien que sacude los rulos, pero rechazó una idea, quizás intrigante y algo tonta, entonces le sonrió como una estrella al tiburón que se quedó pasmado por el episodio señal de la tragedia, y continuó:

Mirad (dijo), aunque ningún libro historial lo menciona, la pelea entre Caín y Abel la causaron las lombrices. Una riña basada en envidia entre los dos, antes de tornarse en una tragedia envolviéndolos.

Abel criaba las más hermosas lombrices. Cultas, sanas, con el cuerpo de una muñeca, elegantes y recatadas, realmente encantadoras. Mucho al estilo de la época. Tentadoras y divinas. Las de Caín, por otra parte, eran ascárides tristes, atrofiadas y raquíticas. Caín guardaba resentimiento por la primogenitura de Abel, le faltaba su tacto, las palabras gratas y elegantes, la cortesía, el brillo apasionado de sus ojos, la galantería romántica, las cestas de fruta, los ramos de flores. Naturalmente, surgió entre ellos una disputa progresiva y riñas serias. No deseando culpar a su padre abiertamente, les echaron la culpa a las primas, llamándolas entrometidas, ostentadoras, vanidosas, altivas. Dada la costumbre de menear las caderas como modelos en desfile. Llamando la atención, provocando silbidos. Esto les irritaba más a las primas.

Les echaban piedras de las ventanas de arriba acompañadas de burlas. Las lombrices de Abel les echaron las piedras de vuelta y por añadidura, las sacaron de las ventanas y les dieron una paliza en la calle. Siguió el aborto y se llamaron a los guardianes del orden público. Caín y Abel fueron interrogados y multados tanto como permitía la ley y acompañados a casa. Abel, bonachón, riéndose como si fuera una broma. Caín, irritable como siempre, le golpeó la cabeza como de costumbre.

No fue fácil calmar el mal genio. Viendo a su hermano trastornado y deprimido, Abel, en buena forma física, intentó calmar las relaciones. Decidió repetir una broma de la familia, sin darse cuenta del implícito daño. "¡Oye, hermano, salieron a nosotros! ¿Te acuerdas cuando solíamos apostar con caramelos quién podía orinar más lejos y toda la familia siempre apostaba en mí? ¡¡Y tú te enojabas y me echabas los dulces a la cara!?"

Evacita, la menor de las hermanas, era demasiado pequeña entonces para recordar el incidente. Ahora servía de compañera a los dos, acostándose primero con uno, luego con el otro, aunque no ocultaba su preferencia por el hermano menor. De este modo Evani, la hermana mayor, tomaría su lugar: con ella, Caín engendró muchos hijos desde la edad temprana de ella, y había decidido abandonarlo a favor del hermano del medio, Abelardo, el más alto y más musculoso de los tres.

En realidad, se llamaba Adelardo, que significaba hijo de Adán, lo mismo que Adel significaba Pequeño Adán. Pero les costaba pronunciar la *d*, por lo cual substituyeron *b*, resultando en la forma actual.

Evacita estaba tan cautivada con la anécdota, que se tragó un diente sonriendo. Los hermanos se daban bofetadas y puñetazos violentos. Sin consecuencias serias, no obstante, porque Evacita, a cambio de sus besos y promesas hasta podía hacer que el sol permaneciera quieto, mucho menos calmar las riñas de sus maridos. Hasta el día de la legendaria apuesta de la hoguera.

En general, los juegos constituían la mayor diversión para la familia al fin del día. Todos participaban, establecían reglas, vitoreaban con ruido a sus candidatos, se burlaban de los demás. El peor de todos, Adán incitaba a sus hijos a bromas cada vez más violentas. Lo que al principio parecían apuestas por dulces, frutas, animales, sus propios hijos, a veces, los de otros, cariñosos por una noche, un año, o toda una vida. Apostaban a sus esposas y maridos, y cuando ya no los tenían, las esposas y los esposos de otros. El uso de la esposa o del esposo de otro se adquiría por privilegios, obligaciones, interés en esto, eso, y lo otro. Hasta Eva se encontraba a menudo el objeto de un encaje hecho por su marido, obligada a acostarse con sus hijos.

La belleza física contaba mucho, mientras que la personalidad y el afecto valían oro. Atracciones personales variaban mucho con el individuo y podrían ser de cualquier orden o naturaleza. De este modo, florecían bodas inesperadamente, como una unión concorde y libre, sin la menor intención u obligación de permanencia. Las mujeres, en general, se portaban como flores en el prado. Y los hombres como abejas. A cambio de besos y caricias, las flores daban miel. ¡Qué dulce era esa niñez en el paraíso! Un poeta más tarde cantaría:

> Oh, cómo añoro
> El alba del paraíso
> Ahora ido, perdido para mí
> Y los años no traen más.

Qué amor, qué sueños, qué flores
En esos días despreocupados
A la sombra de manzanos
Y naranjales.

El ganador tendría la oportunidad de pasar un mes entero con ella. Un premio y tanto en esos días. Tenían que usar productos de su propia labor. Caín, un economista resuelto, basado en principios republicanos seguros, habas secas, trigo, arroz y maíz, aprovechando liberarse de las frutas podridas e infectadas de mosquitos en su jardín. En directa oposición a la corriente liberal que no permitía tocar los mosquitos, combustible excelente para las hogueras al caer el día. Abel, diplomático, místico y filósofo práctico al mismo tiempo, escogió del rebaño las tres ovejas más gordas y con más lana.

Adán abría las ceremonias, ofreciendo una plegaria conmovedora al Gran Kirios, que observaba todo desde las nubes con una mano en el mentón y una mirada de soslayo, después de lo cual Él mismo arrojaba una antorcha a las hogueras.

Caín no podía aguantar el humo que se extendía y las llamas que crujían alrededor de las ovejas de Abel. El odio por su hermano no tuvo límite cuando se enteró que el premio se había convenido en secreto de antemano entre ambos y no escogido abiertamente por los hinchas, como estipulaban las reglas establecidas. Cuando fue interrogado, como hombre, Abel no lo negó. Caín se puso furioso y derribó a su hermano con un garrote en el cráneo, partiéndolo en el medio.

Una fría máscara mortuoria se estampó en el rostro de Abel. Era la primera vez que alguien había aparecido así, con la máscara del sueño en el brillo del día, sin respirar, sin responder, sin reaccionar. La obra de demonios, se dijo, aunque nadie nunca había visto uno. Llamándolo, gritando su nombre, sacudiéndolo, una patada en el culo, no sirvió de nada. Abel había dejado atrás la vida.

Caín huyó en pánico. La sombra corrió tras él, escondiéndolo aquí, allí, pasando entre sus piernas, esperándolo adelante y haciendo muecas como un fantasma. Comenzó a temblar, temer todo lo que veía alrededor de sí. Seguro que alguien se armaba para matarlo en cualquier momento. Se mojó los pantalones. Cavó un hueco en la arena y escondió la cara. Bien lejos de las llamas que seguían sobre el sebo de las ovejas. El Creador fue a ver la locura de cerca. Preguntó: "Caín, ¿dónde está tu hermano Abel?" De espaldas, sin levantar el rostro, contestó, "¿Soy yo el guardián de mi hermano?" Una respuesta descortés, no para dársela a su mayor, mucho menos a las autoridades designadas. El Creador, que desde el principio demostró su oposición a la pena de muerte, en vez de despachar al bribón, lo sometió a unos pocos castigos livianos. Caín, listo y astuto, comenzó a gemir y llorar. El Creador, en vez de mantenerse firme, como se requiere de un Juez, contemporizó y prometió: "Quienquiera que mate a Caín, caerá sobre él una venganza siete veces mayor". Y como si eso no fuera suficiente, "Jehová puso una marca en Caín para que nadie que lo encontrara le diera muerte". Era el pacto de inmunidad, un premio. Nada mal para quien hasta poco antes se hiciera pis y huyera de su propia sombra.

Demuestra que, desde su comienzo, la justicia era injusta. Por otra parte, se debe admirar la perspicacia y previsión del Creador en adoptar nuestro sistema de justicia parcial y selectiva. Según la moda predominante y la aparición de los individuos. *La raison de plus fort est toujours la meilleur*", como diría La Fontaine.

Uno cuestiona aquí el sentido de la justicia del Creador, Justicia increada, en conformidad con sus biógrafos e historiadores más expertos. Si la muerte llegaba como castigo por desobediencia, y si Adán y Eva fueron los que la provocaron, ¿por qué el primer castigo atacó precisamente a la creatura de mayor integridad, quien no mintió ni engañó, víctima de la envidia, precisamente por haber ofrecido un sacrificio más puro y más grato al Creador? Si no está de acuerdo, examinemos los hechos. Abel, quien era justo, pierde la vida en seguida. Sus padres, que presuntamente trajeron la desgracia al mundo y muerte para todos, fueron castigados, sí, pero se postergó el castigo capital. El Creador, como un mentecato, todavía pensó en tejerles "túnicas de piel".

Había llegado a su momento de debilidad máxima. Completamente desalentado, permitió violencia, rebelión, arrogancia, que crecieran nuevos frutos de la Tierra, que no existirían si hubiera eliminado a Caín.

Mientras huía el malhechor, el espectáculo de la muerte echó raíces allí. Abel, la boca abierta y mirando fijamente el cielo. Los padres lloraron, los hermanos vertieron lágrimas, los niños pequeños no entendieron nada, las mujeres estaban inconsolables, rasgaron sus prendas y se acuchillaron el seno, los hombres se cubrieron de cenizas. Los animales sacudieron la cabeza, cuchicheando uno al otro, "¿Ves? . . . nosotros matamos para vivir; ellos matan por venganza". Ángeles que visitaron la Tierra y otros tachados de una misión a los hombres, con los ojos muy abiertos, pasmados, paralizados. Todos recordaron las palabras del Gran Kirios: "Hagamos al hombre en nuestra imagen y semejanza". ¿Habrá pensado Él en la naturaleza perversa de Caín?

Capítulo Veintidós

Evacita lloró la muerte de su hermano y amante con duelo supremo, sin cesar por nueve lunas y noventa soles. Durante ese tiempo Caín persistió en buscarla todas las noches, espiándola en las malezas, siguiéndola al río. Pero ella nunca cedió hasta que terminó el período de duelo.

Él había cambiado completamente su vida, tratando a las lombrices con la misma delicadeza que su hermano. Ellas volvieron a ser princesas, amadas, besadas, acariciadas. Día y noche, amor y más amor. Patriarcas y reyes siguieron su ejemplo, de Matusalén a Noé, Noé a Salomón.

"Después del diluvio las llamaron 'cebo', pero odiaban el apodo, prefiriendo siempre 'lombriz', un nombre cariñoso que recordaba el paraíso. Quisiera aclarar esto", dijo la lombriz, "para que se pueda reconocer nuestra nobleza de sangre, de origen evidente en nuestro contorno, nuestro porte, nuestra línea de conducta".

Aquí, Clito el tiburón inclinó la cabeza en confirmación, mientras la miraba con pasión simulada. Lo cual no se perdió la lombriz, que vio en ello la estupidez del varón quien no puede controlar su impaciencia. Nadie engaña a esos maestros del alma, acostumbrados a detectar hasta los menores síntomas de emoción.

Fueron las primeras en entrar al arca, rodeadas del afecto de Noé y su familia. Allí se multiplicaron rápidamente. Un incidente fortuito, sin embargo, vino a sellar su destino. Los peces en las aguas se reprodujeron en números asombrosos. El alimento pronto escaseó y empezaron a comerse uno al otro. Un pez devoraría otro pez tan vorazmente que a su vez era devorado por el mismo pez que acababa de tragar. Los antepasados de la piraña del Amazonas fueron reconocidos entonces por alimentarse mejor dentro del estómago que afuera. De hecho, vagaban en pandillas, ofreciéndose como comida. Algunas, con más imaginación que las demás, se apostaban en las esquinas con un letrero en la solapa que, en su dialecto, leía "¿Alguien quiere piraña hoy?" Hasta inventaron una cantinela que se hizo muy popular en las aguas del río-océano:

> Piraña, piraña
> Pirañemos todos
> Cuando pican las pirañas
> No llegues tarde.

Naturalmente, tal prostitución era ilegal y fue denunciada al Orden Público y al Departamento de Piscicultura. Las pirañas se defendieron con ardid, diciendo que el hambre de los peces era tan severa que cualquier medida, por más efímera, era preferible a morirse de hambre. Al contrario, morían satisfechas, cantando:

> Qué dulce es morir en el mar
> En las olas del río-océano . . .

A pesar de esto, su razonamiento habría fracasado si no fuera por el apoyo de sus colegas, expertos en el arte y con mucha influencia en el Congreso. Después de amplio debate, finalmente aprobaron el aviso, pero los obligaron a añadir el peligro al cual se exponían los participantes de esa comida. No obstante, inventaron otro estribillo:

> Muero pirañando
> Lo sé bastante bien.
> Que si no pirañeas
> Mueres de cualquier manera . . .

Con el apoyo completo de la Sociedad Libertaria, que enaltece los derechos de la ciudadanía encima de todo lo demás. (Sin pedir permiso esta vez, el tiburón de pronto interpuso: "Mi abuelo solía contarme sobre esa época, que está inscripta en las crónicas de nuestra historia como la era de la gran hambre del diluvio. Al cual se refieren unos libros de haber durado cuarenta soles, cuando en realidad fue cuarenta lunas. Hay unos historiadores que hablan de una cuenta indefinida, ya que el sol había desaparecido por completo y la luna, de vez en cuando.

"Al principio todo iba bien, como generalmente sucede. Con más carne de lo que podíamos comer. Carne viva, carne cruda, carne de animal y humana. Tantas plantas, y todo lo que sería bueno flotando en el agua. Los tiburones experimentaron los mejores días de sus vidas. Unos de nuestros profetas lo llamaron la era de las vacas gordas. Los científicos dicen que fue en esta fase que comenzamos a crecer varias hileras de dientes. Biólogos marinos eminentes no están de acuerdo, argumentando que las diversas capas vinieron de nuestro deseo altruista de que la víctima no sufriera mucho. A ese período le siguió la de las vacas flacas, que fue la gran hambre del diluvio. Desafortunado para la mayoría de peces, pero por suerte no sufrimos un déficit en nuestra dieta. Para nosotros, nunca hubo eso de vacas magras. La fase así llamada de vacas flacas fue seguida por un período de aún más gordas. Porque tragando un solo pez, de tamaño mediano o grande, de hecho, estábamos tragando dos o tres, uno dentro del otro, en una economía de dientes, mandíbulas y saliva".

En este momento Monice lo miró con una expresión irritada tan venenosa que lo dejó sin habla. Bajó la vista, hizo una reverencia torpe, y se calló. Ella se maravilló del mundo de diferencia que va de lombriz a humano, y del hombre a una criatura así. Comprendió lo que era la sangre, el mal genio, la psique del tiburón que le venía desde la cuna. Y su expresión reveló algo de satisfacción, una mezcla de perdón y cariño por el monstruo, hacia quien inconscientemente se sentía atraída. Hay tales personas que se sienten fatalmente atraídas a alguien sin saber por qué.

Había dejado de llover. Fue entonces que una lombriz muy alerta y coqueta improvisó en el acto la futura modelo de la pasarela. Hermosa en sus prendas femeninas, balanceándose seductora, paseándose en la pista, se resbaló y cayó al agua. Los peces estuvieron en seguida encima de ella en el mayor frenesí de alimentación de la historia. Noé y sus descendientes presenciaron la escena horrorizados. Desde ese día hasta ahora, los peces del mundo entero pierden el control a la vista de una lombriz. El fenómeno ha formado parte de sus genes. En algunos casos, parecía que cuanto mayor la disparidad en tamaño entre los dos, más locos se vuelven. (En este momento el tiburón sonrió con malicia, suavizó la garganta en una feliz distracción, sacó el pecho, pero no interrumpió, excepto por sus ojos aguosos que le dieron el aspecto de un pistolero a sueldo, en la tradición venerada de tiburones barrocos.)

El destino de la lombriz como cebo estaba sellado. Hay que comprender que ser devorado no es tan malo como parece. No es raro que las lombrices sobrevivan los peces que las tragan enteras, volviendo a tierra intactas. Además de que cualquier parte del cuerpo de una lombriz puede funcionar como si fuera entero y regenerarse lentamente hasta llegar a su tamaño original. Un privilegio que ningún otro animal disfruta, excepto quizás el bicéfalo de dos cabezas, el ingenioso descendiente de un enemigo pasado.

Prosperamos en Egipto, Abisinia, en los oasis de vasta Arabia. La reina de Saba fue la primera en elevarnos a la categoría de princesas, cada una con su propio mayor contorno en forma de arte, sus propias costumbres, su hechicería personal en la conquista de amores, descartando la idea de maridos, lo que implica posesión, ajeno por naturaleza al "género lombriz", ya que esos amantes eran reyes y príncipes, generales, embajadores, notables gobernadores de provincias más allá de la tumba. Desempeñaron un papel en la conquista de Salomón, un rey machista apasionado como pocos por sus llamativas lombrices. Cuando fue a visitarlo, llevó trescientas mil lombrices, las más bonitas y glamorosas de su reino. Salomón rápidamente las cruzó con lombrices judías para producir la especie más deseable de la Tierra. Una combinación encantadora de belleza, sensualidad, cariño, artificio y astucia antes desconocida. Con el gran rey, la pasión por las lombrices se puso de moda en todo el país. Una voluptuosidad que devoraba el pecho, ya que, cuanto más comían, más aumentaba la vitalidad y crecía el deseo. Lo que lo alejó de la moderación y la virtud que habían llamado la atención del Gran Kirios y lo hizo famoso a través de las edades. Hasta el grado que el profeta Natanael y el pueblo comenzaron a temer el castigo de los cielos. El rey austero comía las lombrices en parrandas, como una broma, en un solo día, la cuota común a los mortales en el curso de una vida. Nunca había pisado la tierra un comedor de lombrices más ávido. Aunque la competencia había crecido en nuestros tiempos, por no decir nada de su padre, David, que le había pasado el insaciable gene. Especialmente en la categoría de mandatarios de territorios y personas. Unos estaban destinados a no obtener la presidencia porque comían demasiado. Otros porque comían muy poco. Uno, diferente, llegó allí por medio de una colusión de suertes y los elementos, sin mencionar osadía. Y aún otros, a pesar de tener mucha labia, nunca realizaron el sueño de llegar a la gran casa blanca. Gracias al Gran Kirios de todos nosotros. Tal raza de mandatarios diezmaría, de una vez por todas, el "género lombriz" de la faz del planeta.

Salomón consumía cien de desayuno, doscientas en el almuerzo, trescientas en la cena, cuatrocientas antes de acostarse, doscientas al despertarse. Tenía la costumbre de pasar noches enteras jugando con lombrices híbridas del reino, o de Arabia o la cercana Abisinia. Desinhibido, solitario, echando de menos sus días con la Reina de Saba, la mente contrita y tornada hacia Él que le había otorgado sabiduría, al fin de su vida, volviéndose para mirar hacia el sol poniente, exclamó su proverbial "*Minhoca minhocarum et omnia minhoca sunt!*" [¡Lombrices de las lombrices y todo es lombrices!] ¡Un tremendo grito de dolor y nostalgia del gran sabio Salomón! El amor que ardía en su pecho era tan fuerte que insistió ser enterrado con todas ellas vivas, a pesar de vehementes protestas del profeta Natanael y sus colegas profetas y escribas.

En esa época la población de lombrices era seiscientos mil, sin contar aquellas fieles a la reina, a quien le juraron volver un día. El resultado asombró al mundo de un extremo a otro. Cuando se abrió la tumba del gran rey, he aquí el milagro—el cuerpo intacto, la piel fresca y suave como si recién saliera de un baño y durmiendo un sueño profundo. Y todas ellas, guerreras determinadas combatieron las lombrices de la tumba como un ejército implacable en una batalla de exterminación, sin permitir que ni una se escapara, muerta o viva, por más intrépidas o ingeniosas que fueran. Dieron la vida para que él, cuyo amor superó todo, pudiera tener la inmortalidad deseada. Sus cadáveres, frescos y suaves, como una corona de rosas alrededor de su cuerpo, del cual emanaba perfume y que parecía sonreír en un dulce sueño. "He aquí" dijeron los hombres doctos que estudiaban la tumba, "¡las seiscientas mil más fieles del rey!" Sus labios parecían estar cantando un nuevo Cantar de los Cantares. De este modo, la gloria del gran Salomón, después de la muerte, creció más que en vida.

Según la leyenda, aun hoy el gran rey sigue intacto en alguna parte de la Tierra Santa, rodeado por una corona de sus lombrices perfumadas. Su deseo secreto, dice la leyenda, era ser enterrado con ellas.

Los profetas del reino, sin embargo, quedaron impasibles a los rumores con respecto a esto, dado el proceso de momificación, como bien lo sabían, de ser común y corriente en Egipto y en las regiones del Alto Nilo. Y viendo que lo habían apodado irónicamente "rey de las lombrices", ahora continuaron refiriéndose a él con otros títulos más insolentes como "glorioso hombre lombriz del Altísimo". Lo cual sonaba como blasfemia y nació de una rivalidad legítima. Un buen número de profetas quedaron inciertos si deberían dirigirse a él como un igual o un simple farsante. Diciéndole al Gran Kirios que condenaban las manías y negligencias en el cumplimiento del deber. Una mentira descarada. Para no tener que lloverles los cielos en sus cabezas, el

Gran Kirios se tapaba los oídos cada vez que se movían sus labios.

Mantuvieron su harén de lombrices, unas camufladas y ocultas, otras cínicas, abiertas a la luz del día, siguiendo la práctica del rey y su padre David. Aún otras, capciosas, concedieron a sus amantes la profesión de adivinación, tratándolas como profetisas y sibilas quienes a menudo eran sólo brujas comunes, o técnicas avanzadas. Algunas, menos profetisas, pero expertas en el juego de amuletos, muy bonitas, eran excelentes compañeras en visiones y servicios. Las mujeres eran alertadas qué días y qué noches aparecería el Gran Kirios detrás de la mata de zarza, como lo había hecho con Moisés. El Gran Kirios prefería matas lejos de casa. Y su hora favorita era de las nueve de la noche hasta las tres de la mañana. Que nadie se atreva acercarse. El lugar donde pisaban era sacro y reservado a los profetas.

En todo caso, antes de dormir, allí estaba el Altísimo, llamándolas immaculadas, detrás de zarzas ardientes. Su voz no podía ser más clara. "¡Profeta, date prisa! ¡Lleva un mensaje urgente a ese pueblo rebelde!" Las mujeres deben prestar atención, ya que ellas también deben oír. No oyen nada, aunque anhelan oír. Con todo, ¿quiénes eran ellas para resistir la voz del Altísimo? En sueños, profetizaban en éxtasis, hablando de vírgenes inmaculadas, cuerpos sublimes, viudas apasionadas. Su cantar de los cantares le daría envidia a Salomón. Estaban listas para competir con el gran rey por un lugar en la Biblia. Y les prometieron a las mujeres que compartirían con ellas su nombre y su gloria. Y siempre las mencionarían a su lado. Resignadas y soñadoras, las mujeres consintieron. Siempre ha sido la costumbre de las mujeres creer las mentiras de sus esposos.

Hasta que un día una mujer se impacientó y trató de confrontar al Altísimo. La falta de respeto de parte del Gran Kirios.

Su impertinencia en interferir en su vida. ¿Qué mensaje urgente era el que detenía a su marido toda la noche cerca del arbusto en llamas? Tres años enteros sin buscarla, ya sea en la cama, por el río, bajo la higuera, o durante la cosecha de trigo como los maridos de sus vecinas, a pesar de las seducciones universales y otras, improvisadas. Fuera de la luna de miel, adiós amor, adiós cariño, adiós abrazos nocturnos.

Siguiéndolo con cuidado, se escondió a distancia. Vio cómo se movía, mirando a todos lados. Pero ¿qué fue eso? No había maleza allí, mucho menos una mata. Era la casa de un profeta amigo suyo y su esposa profetisa, la más dotada de todas en esos días. Con su sangre filistea y la magia de Abisinia. Quizás, quién sabe, iban a implorar al Gran Kirios que enviara un poco de lluvia, ya que la sequía había durado tres meses.

Avanzó con intrepidez y atisbó por la ventana. El Gran Kirios estaba allí desnudo, en cama, ¡abrazando a su marido! Quedó pasmada por tal maravilla y la osadía no superada. El Gran Kirios había asumido por completo la figura de la profetisa. Cabellera larga y negra, los ojos bien abiertos y sensuales como los de Delila. Los senos como rosas abriéndose al rocío, escabulléndose a través de los labios impacientes de su marido transformado.

Nunca lo había visto así, ni siquiera en su primer encuentro en la maleza, o en la víspera de su boda. Ora apartándose, ora dejándose morder. Lenguas pasando de una boca a la otra, en el mayor tráfico de lenguas en esa parte del planeta. Un mordisco aquí, un mordisco allí, poniendo todo en la boca. Así era cómo las filisteas robaban maridos. Pero, ¿dónde estaba su marido, el joven profeta con visiones ardientes que la había dejado sola en el esplendor de su desnudez, ofreciendo besar su hermoso ramo de uvas?

El garrote que llevaba puso fin a las visiones celestiales, dejando recordatorios ardientes en la espalda y las nalgas. Lo que es seguro es que, desde ese día, el Gran Kirios, arrepentido de lo que sucedió, nunca más aparecería a ninguna profetisa en esa parte del mundo. Y todas las camas en Israel volvieron a funcionar normalmente con sus profetas de vuelta. Chirriando calientes y perfumadas tarde en la noche. Capítulo final de las profecías.

Capítulo Veintitrés

Se sabe que Aristóteles comenzaba sus clases de Anatomía con la vivisección de lombrices. A las clases de Sociología les llevaba cuatro padres lombrices, madre lombriz, hijo lombriz, junto con la lombriz vecina. Y decía con solemnidad, "Observad que el gusano dejará a su padre y su madre y se juntará con su gusano compañero (En el griego antiguo, el sustantivo *gusano* tenía dos géneros, mientras que en los idiomas modernos retuvo sólo uno". [Explicación de Monice.]) "Y ambos serán como una carne". Y mostraba la acción, la interacción, la vida sola o en familia, comenzando, comenzado y terminado. Trágicamente, a veces, a causa de la intención de realzar el drama de una manera científica, ordenaba a los amantes practicar peripecias amorosas, como saltar juntos de una cascada. Werther de Goethe debe haber sido inspirado por esto. No es sorprendente que sus clases estuvieran siempre llenas, con jóvenes saltando de las ventanas para participar en el suicidio.

Sentados al lado de Alejandro, asistían a las clases de retórica y poética, música y danza. De las cuales emergieron los orígenes del minué y la contradanza. Hasta el tango fue un invento espontáneo de Alejandro, un joven bien parecido, elegante y un bailarín sin par tanto antes como después de hacerse famoso. Delgado, con una mirada oscura de cristal, un aire de mando aun dormido, enérgico y cortés al mismo tiempo, piernas largas demasiado flacas para su excelente físico. Había pasado la noche en las mayores parrandas del otoño, fomentadas por sus compañeros de clase. Se despertó con dolor en el trasero y con tortícolis. Sabiendo que tenía que presentar un número de baile en clase, había dejado de preparar uno, escogiendo una lombriz con quien había pasado la noche, la poseedora de raros encantamientos y un hermoso sentido de innovación, excepto que ella no podía mover ni un músculo. Un espectáculo, así como ninguno jamás visto. La clase aplaudió con delirio. Aristóteles prometió un nuevo tratado, que llamó "Tango Alejandrino". Acababa de bautizar el baile que mucho después renacería en Argentina.

Las hazañas de Alejandro se debían más tarde a una dieta limitada a lombrices. Se llenaba de la boca a la barriga, sin tocar nada más. Creció su valor, se extendió su genio militar, sus proezas se hicieron increíbles, la valentía de sus soldados infinita, y todo por la manera que lisonjeó a sus lombrices, a veces amontonándolas para formar fortalezas que hacían frente a lanzas y flechas envenenadas.

Alejandro las llevó a Egipto, donde los faraones las elevaron a la categoría de divinidad. Cleopatra las encomiaba, usando los mismos ungüentos que la reina de Saba. De quien aprendería Lucrecia Borgia, la reina Isabel (una aficionada solitaria de lombrices que era alérgica a los esposos), y la más trágica de todas, Marie Antoinette. Las princesas austríacas salvaron el país, por ninguna otra razón que sus lombrices, bellas, rubias realmente doradas. ¿Quién adivinaría que las famosas líneas *"Tu . . ., felix Austria, nubes!"* ["¡Que otros hagan guerra, tú Austria, te casas!"] se debía exclusivamente a la atracción de las lombrices? Prueba de esto es el testimonio intachable de los Napoleones y los emperadores del Brasil.

La reina Isabel importaba lombrices del Nuevo Mundo, logrando mantener al rey Fernando enamorado y fiel. Pero con

Cleopatra habíamos llegado a la gloria. Primero con la conquista de César y Marco Antonio. Después, la corona de Egipto, las cumbres en Roma. Inmortalidad en marfil y oro. Todos esos monumentos destruidos, olvidados, borrados de la memoria. Porque comer lombrices en público o detrás de puertas cerradas se hizo vergonzoso. Una ley que Salomón habría hecho trizas. Alejandro, quemado. César, escupido. Nadie quería ser visto con lombrices. Aunque se encontraran en secreto, como los profetas de antaño.

Capítulo Veinticuatro

En la Edad Media sufrimos plagas de toda clase y la peste
bubónica, que casi nos llevó a la extinción total. A pesar de ser
el bocado número uno en los palacios, las favoritas en monasterios, y las preferidas de papas y cardenales. La obsesión con las
lombrices era lo chic de la época. Un papa, Alejandro IX, sólo
recién descubierto por historiadores revisionistas, fue apodado
El Bigote por sus ojos de pirata y su perilla. Se confirmó su reino
con una moneda que se encontró cerca de Castel Santangelo. Una
monja casi enana puso el objeto cubierto de herrumbre en el bol-
sillo, pensando: En Roma todo metal es oro. No tenía idea que
estaba resucitando uno de los papas más pintorescos de la historia. Pariente de los Borgia, engendró una docena de hijos antes de
su ordinación y fue el primer papa abuelo desde Pedro. Trató de
canonizar a su lombriz en vida. Lo que engendró objeciones de
unos cuantos, tanto dentro de la Iglesia como afuera. La protesta
se extendió, y hasta rabinos y monjas budistas escribieron diatri-
bas incendiarias; no obstante, obstinadamente consideraba invocar la infalibilidad para imponer su punto de vista. Sin embargo,
el asunto explotó inesperadamente un día cuando, durante la
missa solemnis de la coronación de los reyes de Sicilia, el conce-
lebrante, un cardenal con quien casi llegó a golpes en la sacristía,
subió al altar y soltó insultos, pellizcándolo bajo sus paramentos
papales. El papa, tratando a toda costa de salvar la dignidad y el
decoro del momento, le dirigió de soslayo una reverencia después
de cada pellizco, como si fuera una venia litúrgica, moviendo los

labios y llamando a santos que no estaban en el calendario: "¡Hijo de una ramera! ¡Te voy a romper la cara, hijo de puta!"

Los insultos del cardenal provenían de un antiguo rencor por parte del abuelo Borgia, primo legítimo del lado materno. Habían crecido juntos, dormido en el mismo cuarto, además de ir a las mismas escuelas. Cuando murió su padre, él, su madre y sus hermanos se vieron obligados a vivir con los parientes ricos. El Borgia alborotador, el dueño de todo, no estaba contento con la intrusión en su familia. No toques nada, entrometido, a menos que quieras una bofetada o un fuerte pellizco. Creció, entonces como un bastardo en casa ajena, maldiciendo su suerte, tímido, y sin afecto.

Había sido ese Borgia, "mirada de pirata y barbilla", quien le había robado el mayor tesoro de su vida. Le susurró, "¡Eulalia, tu lombriz amada, está allí! ¡Al lado del altar, mirándote! ¡Bendícela, bendícela, para que todo el mundo vea!"

No había manera que el papa, o los otros cardenales pudieran hacerlo callar. En el momento del introibo, el papa perdió control por completo y en vez de decir *Introibo ad altare Dei* dijo: *Introibo ad altare Eulalaliae . . .!* Al cual el cardenal respondió: *Ad Eulaliam quae laetificat juventutem meam!*

Un murmullo horrorizado se esparció por la basílica. La madre del papa se desmayó en su banco. Los hombres agarraron sus pañuelos, mientras que las mujeres escondieron el rostro en sus mantillas. Sólo el padre anciano del papa se mantuvo calmo, como una estatua, mirando hacia adelante, rígido y sordo. Los dos, dándose cuenta de lo ocurrido, avergonzados y mordiéndose los labios, se corrigieron abruptamente, intuyendo el escándalo y ridículo a los cuales se habían expuesto, y también la santa liturgia, golpeándose el pecho y recitando sus meas culpas violentamente, contritos y avergonzados del ritual chapuceado.

Muy poco y muy tarde. Se consumió el escándalo; la gente, ya enterada de todo, puesto que los boletines del Vaticano lo habían hecho público. La pelea de Alejandro con el Cardenal Caprino, ahora la presenció la perfección del corpus delicti, una priora hermosa, de ojos verdes felinos, manos elevadas al Cielo en plegaria rapta, cautivando a todos que la vieron. Su aire de santa, en su figura y su totalidad, mantuvo el corazón ardiendo de lujuria.

Era la antigua amante del cardenal desde que era niño. Ni hacerse obispo ni vestirse de cardenal extinguieron el viejo ardor. El cardenal la deseaba de vuelta a toda costa, aun de la vida misma. Se prometió que envenenaría al papa con el pan y vino sacramentales. Ya tenía una carta firmada por el vinatero y sellado por el panadero. Según sus cálculos, el papa se desplomaría en los escalones exactamente cuando estaba recitando el *Ite* en una voz sofocada y trémula ... *Vita est!*

La venganza del Cardenal Caprino no terminaba allí. Para no vacilar en su propósito, por debilidad o la intervención de Gracia (la que, de un momento a otro podría arruinar todo), él, que nunca había sido poeta, escribió en un papel unas líneas desagradables que aun el demonio acusado de tentarlo evadió leer:

Es necesario terminar con Borgia
Usando el pan y el vino de la Misa
Lo veré crisparse
En paramento y todo.

El Cardenal Anulfo Caprino nunca perpetraría el crimen. Denunciado por el panadero, aunque no por el vinatero, cuya cosecha había garantizado por tres años, fue expulsado de la Iglesia y excomulgado solemnemente. Moriría loco en una callejuela, andrajoso y sucio al lado de su amante, cantando y agarrando una botella vacía contra el pecho desnudo.

> Eulalia mi más querida
> La flor de Andalucía
> Fuiste tú quien me enseñaste
> El amor que nunca conocí.

Esto, sin embargo, sólo ocurriría años y años después. Ahora, no podía aguantar verla. Verla le bastaba para destruirle los nervios agotados por una pasión fútil. El Cardenal Caprino, a quien muchos llamaban simplemente "Cabreal", frente hundida, cabello oscuro muy corto, los ojos hundidos de un zorro, brazos delgados y piernas de un árbol chuña, cuya apariencia le daba la imagen falsa de un asceta, murió de amor al ver a la priora y odiar verla tan cerca. Imaginó los besos ahogados, los abrazos febriles, las promesas eternas de amor que cambiaron en sueños veces incontables. Aun antes que brotara la pubertad en los dos, antes que él se dejara crecer el bigote oscuro y ella la alfombra rubia, pubescente y rala. Jurando que odiaba a Borgia y nunca cedería a sus propuestas y galanteos. Ni siquiera podía tolerar su rostro granujiento, su aliento hediondo. Juró que nunca lo dejaría tocarle el cuerpo. Juró. Juró mientras lo besaba. Su corazón virgen todavía era de ella, sólo suyo, todo de ella, eternamente suyo. Y de nadie más en el mundo. "Cielo, infierno, muerte—nada, ángel o demonio, la quitaría de sus brazos". Estas eran promesas eternas, entre besos eternos y sofocantes.

Había fases cuando el "cabreal" mostraba indicios de pasión por el sacerdocio. Basaba sus sermones en los tipos de espiritualidad más de moda y siempre citaba a las grandes celebridades espirituales de la época. Se envolvía en ese aire de ascetismo que se le adhería al cuerpo, aun después que le bajaba la fiebre y volvía la lujuria. Hombres y mujeres jóvenes, después de confesarse, lo tomaban como guía espiritual. Se dejaban abrazar y se sentaban en su falda para asimilar mejor su consejo sagrado.

Borgia pasmaría a todo el país al hacerse cardenal como una formalidad antes del papado. Sus insinuaciones disminuyeron desde una nueva aventura amorosa con su prima hermana, Anestela, que había llegado de Sicilia. Anestela, de sangre austríaca, alta y delgada, con senos amplios que llamaban la atención, cantados por poetas como rosas del paraíso, en contraste con los de Eulalia, que críticos severos atribuían a las bestias del Apocalipsis. Ojos de turmalina. Una muñeca perfecta desde las pestañas hasta los tobillos. Un modo de andar lánguido y afectuoso que llevaría a una prole de seis antes de consumirse, descontenta, en un convento. Mientras que él, a causa de su nuevo cargo, obligado a abandonarla con los hijos, se fue a la cama de Eulalia. Más precisamente, cuando ella se echó en sus brazos al verlo por primera vez con la cruz en el pecho, el carmesí suave y el armiño blanco. Y no mucho después, la corona pontifical.

Lo que sucedió entre los dos no está inscrito. Ni siquiera en las pocas páginas del diario que dejaron. Ella, para disimular sus encuentros con Borgia, había aceptado el puesto de priora, y lo abandonó sin darle jamás una excusa ni razón. Él, ciego de amor y la voluntad de no darse por vencido, había aceptado de su enemigo el papa un rico obispado y la dignidad de cardenal, algo que nunca había pensado ni en sueños. Por lo menos ahora podía ir a verla cuando quisiera.

Ahora, en la Misa, se miraban con el rabillo del ojo, levant-

aban la nariz y daban gruñidos feroces cuandoquiera que se
encontraban con la mirada accidentalmente. Distantes, cortantes,
esporádicos. Al pedido discreto del rey, la priora se retiró durante
la ceremonia. Al cruzar la entrada a la iglesia, el papa inesperadamente la invocó en el memento para los santos, causando
un escándalo aun mayor que el primero: "¡Santa Eulalia! Ora
pro nobis . . ." en plegarias, volando a los cielos, el cardenal lo
hizo descender a la Tierra por vía de un tremendo pellizco.
"¡Basta!" "¡Cornudo!" "¡Marica!" "¡Hijo de puta!" "¡¡Te voy a
romper la cara ahora mismo!! ¡Lo juro!" Los concelebrantes ya
estaban acostumbrados a tal invectiva alejandrina.

Esa misma noche llegó un pedido urgente. Eulalia debía aparecer en los aposentos del pontífice. Para una consulta de mayor
seriedad, "un asunto de Fe, su santidad no podía dormir, ni
dejarlo para otro día". Y allá fue Eulalia a mediados de la noche,
acompañada de las hermanas en una procesión a luz de vela, con
la guardia suiza al frente, a la puerta de la biblioteca privada. Alejandro la había recibido allí. Se cerraron las puertas y las hermanas volvieron a sus celdas, cabizbajas, las velas extinguidas,
los salmos de David cayendo de sus labios, insípidos y sin significado.

Capítulo Veinticinco

Antes de morir, sin embargo, el Cardenal Caprino había llenado las páginas de los periódicos españoles de cosas picarescas y extrañas, Comenzó a oír voces celestiales. Oyó claramente al arcángel Gabriel que le ordenaba quitarse la ropa, encender una vela en plena luz del día, e ir a buscar a Eulalia, perdida en alguna callejuela. Y cuando creía haberla encontrado, anunció: Ave, Eulalia, ¡llena de gracia!" Y cuando la anunciada corría asustada, diciendo que no era Eulalia, él corría tras ella, intentando convencerla que sí lo era.

Terminó en la cárcel varias veces, pero la voz de Gabriel persistía. A pesar de todo, se volvió un loco afable y siempre encontraba alguien que aceptara el mensaje. Con todo, después del delicado error, recobraba la razón y empezaba a pegarle a la impostora que trataba de hacerse pasar por su amada. No rara vez, ambos fueron arrastrados a la cárcel.

Capítulo Veintiséis

Ahora los borrachos de la región, y hasta personas que no bebían, encontraron en todo esto una trama inapreciable para una novela y, ya sea como broma o de malicia, comenzaron a adoptar el sistema del saludo angelical. Se estableció la Tercera Orden de los Borrachines de Alkançakevir. Hay personas aun hoy que protestan en contra de este escándalo histórico, con los baluartes más conservadores del buen nombre de España que arrojan los archivos al mar y queman cualquier referencia al hecho, por más tenue que sea. No obstante, se encontraban impotentes de destruir la leyenda profundamente arraigada en el corazón del pueblo.

Alkançakevir . . . "jardín de España/que el ocaso primero besa", como un poeta barroco, parado a la orilla del mar cantó una vez, se había tornado en un lugar apacible después de ser uno de los baluartes más valientes en la resistencia al islam. El fondo de batallas numerosas y memorables, "atacados en los flancos con hierro, fuego y bala, sin ver nunca sacar ventaja al moro vil". Tierra de las "aletas festivas", guerreros ilustres en la expulsión de los musulmanes.

Ninguno de ellos, sin embargo, más grande que el Sargento Felicio, que prácticamente vivía en una celda de la cárcel, pero quien de joven se había hecho inmortal y el ídolo de todos por haber defendido de una sola mano la fortaleza más grande de la ciudad contra trescientos moros invasores. Pocos saben cómo lo había logrado, y aun menos hablaban de eso para no denigrar la legendaria hazaña y de tal modo manchar la valentía del Sargento. Por décadas él había personificado la intrepidez, el honor, el valor del soldado español.

Felicio vio rápidamente en la locura de "Cabreal" un medio de restaurarse y recordar sus días. Quemó la ropa, prendió una vela, y se puso a la cabeza del monumento, prestándole su nombre y carisma de otro tiempo. Su nombre, sin embargo, se había desvanecido y la leyenda estaba tan moribunda que sólo un puñado de gente sabía quién era y aun menos lo saludaban en las calles.

Fue con amargura que recordó todo. A los quince años había tenido España a los pies. Estaba en los labios de todos. Nunca había habido un héroe más grande, no se había visto jamás mayor hazaña. El orgullo de una nación. Decorado, llevado triunfalmente por las calles en un carruaje abierto. Galones en los hombros, medallas en el pecho. El espadín dorado ritual en el cinturón. En desfiles públicos, todos querían arrimarse a él, tocarlo, abrazarlo, las jóvenes insistían en besarlo en la boca. Se ofrecían con la conducta, las palabras, los guiños. Los padres le entregaban a las hijas prácticamente. Su entrada en mansiones, palacios, o moradas sencillas del pueblo, se había vuelto un derecho adquirido, un honor que les causaba envidia a los vecinos y les daba algo de qué hablar a los enemigos. Llegaba inesperadamente y se sentaba sin que lo invitaran. Y fue de este modo que se hizo hombre, nadando en emolumentos, como si la atracción que inspiraba en las mujeres, la envidia en los hombres, no acabaría nunca.

Su apetito, que no tenía límite, lo llevó a buscar en otras ciudades lo que faltaba en la suya. Y, como las ciudades de España no eran numerosas y ofrecían pocas mujeres que lo adoraran al verlo, cruzó los Pirineos, vagó por Italia en busca de mujeres jóvenes apasionadas y aceptó invitaciones que llegaban de Cala-

bria y Sicilia. Pasaron diez años así en un paraíso con el cual
ningún hombre en la Tierra soñó ni poseyó. Incapaz de tolerar
ver evaporarse su prestigio y huir antiguos amores, comenzó a
tomar por fuerza lo que ya no se le ofrecía. Hasta violó, en pleno
día, una muchacha que nunca había oído su nombre, una ofensa
inconcebible. Un héroe del país tratado como un nadie.

Le vinieron a la mente sus momentos de gloria. Recordó los
carruajes rebosando de flores, la presencia del rey y la reina, el
cardenal, los ministros, la banda que tocaba música militar. La
recepción en el palacio, la *missa pontificalis* en la plaza pública, el
coro de los jóvenes castrados. Los votos de amor de las mujeres
más hermosas y apetitosas. Lo que se le ocurrió más que todo fue
su momento de gran inspiración.

Solo en la torre de mando, viendo acercarse al enemigo, el
único sobreviviente en el medio de tantos camaradas muertos,
vacía ahora la fortaleza, sin ni siquiera un mosquete para defen-
derla, viendo caer su patria en las manos de paganos. Entonces,
el momento de inspiración. Su momento de gloria. Rápidamente
amontonó a sus camaradas en una pila, le prendió fuego, y
encontró un escondite seguro. Había tanta carne que el incen-
dio duró toda la noche. Unos pájaros negros, atraídos por el olor,
posados y esperando cerca que se enfriara. En una pata y luego la
otra, graznaron, anticipando el festín. Cuando los moros vieron
los cadáveres sonriéndoles y los cuervos gozando, creyeron que
veían demonios que se deleitaban en un banquete. Pies, ¿para qué
sirven? Corrieron, y algunos dicen que siguen corriendo hasta
nuestros días.

Todos estos cuentos serían sólo chismes de taberna si el
Papa Alejandro IX, el del bigote, alarmado por el escándalo de
la Orden y la fama dada a ello por el Sargento Felicio (ascen-

dido a mayor, nunca dejaron de referirse a él como sargento), no hubiera decidido excomulgarlo públicamente por medio de una bula mordaz. Lo había hecho tan arbitrariamente, sin consultar a los de las tabernas, infalibles en el campo de rumores y costumbres, que sólo despertó el apetito del público y resultó en algo que nadie imaginaba. Porque en pocos meses los peritos de la Orden escandalosa contaban un gran número de personas en las partes más remotas de la provincia. Imaginar que hasta los miembros conservadores del clero estaban abandonando su vestidura sacerdotal sin adoptar ninguna otra, para llevar en persona los mensajes del Arcángel Gabriel a las vírgenes privilegiadas de la aldea. En la cima de la leyenda, el nuncio apostólico, en esos días considerado el candidato probablemente más apto al papado, quien había venido en persona a excomulgar a los delincuentes, terminó convirtiéndose y se internó en las calles con un convento entero, prendiendo velas y dotaciones al viento.

Esta noticia enfureció al Cardenal Caprino, y su Ángel Gabriel se entristeció tanto que, cubriéndose el rostro con las alas, lloró como un niño. Desde entonces, cesaron los mensajes del trovador celestial. Además, el Cardenal volvió a usar ropa y, abrazando la botella vacía de jerez, cerró los ojos e improvisó serenatas tiernas y conmovedoras. Aun hoy, la fama del Cardenal vive en las calles y sus canciones sentimentales no se olvidaron nunca.

> Fuiste mi vida
> La ... lia, me dejaste demasiado pronto
> Lalia, Lalia, Lalia
> Te fuiste y nunca volviste ...
> No te olvides,

Lalia amada
El hechizo que brilló en mis ojos
Pero todo el amor que tuviste por mí
Fue tan poco que el Diablo se lo llevó . . .

Capítulo Veintisiete

Pero el destino se les aproximaba. Eulalia finalmente cedió al gran amor de su vida. Huyó del convento para estar con él en un lugar donde nadie los conocía. Murieron pobres, pidiendo limosna en la calle, tan felices como Job.

Sobresaltado por la noticia, el Papa vio en ello los designios de la Providencia. Un trastorno moral, un remordimiento cruel que le provocó lágrimas. Además, fue la primera vez en la historia que un papa mostró compunción sobre la pena de un cornudo. Volvió a considerar su primer impulso, de traer a Eulalia a Roma. Incapaz de separar lo que el Cielo había unido tan claramente. Ordenó que se abriera una tumba para la pareja en el mismo pequeño rincón del jardín donde se habían conocido. Aun hoy, Alkançakevir, la tumba del Cardenal y Eulalia está cubierta de flores. Miles de abejas aparecen todos los días, tachadas en transformar a miel el pesar de una pasión que no tuvo igual desde los días de Abelardo y Eloísa.

Capítulo Veintiocho

Monice pausó su relato un momento, la garganta seca, lo que le dio la oportunidad al tiburón de repetir su reverencia caballeresca y llevar unas gotas de agua a los labios. El gesto de gratitud de ella era prometedor. Por suerte, el tiburón, emocionado de haber podido acercarse más a ella de nuevo, no se dio cuenta de nada. Volvió a su postura anterior, lamiéndose los labios sensualmente. Ansioso de no perderse una sílaba ni la entonación más sutil.

Había lugares, continuó ella, donde los glotones de la fe, tipos cínicos que se aprovechan de la inocencia de la gente, crearon santuarios y pedestales, erigieron innumerables altares y monumentos. Hasta un templo dorado fue dedicado a cierta Reina de las Lombrices del Oriente. Alojaba imágenes de lombrices y santas privilegiadas aún vivas, y en su nombre se hicieron peregrinajes por todo el mundo. Los verdaderos creyentes rezaron, obtuvieron milagros, encendieron velas. Porque, hay que subrayar, los milagros no son algo que ocurre de afuera adentro, sino más bien de dentro afuera. Cada uno es capaz de transformar un deseo en la realidad

Nos hicimos las santas preferidas de los monasterios y conventos, las ninfas de nobles y señores feudales. Inspiramos a santos y místicos, teólogos, filósofos, profesores de ciencias sagradas y profanas, escritores y poetas, de los desconocidos a los grandes. Dante, Petrarca, Torcuato Tasso, y el inmortal Cervantes fueron nuestros compañeros en juergas y orgías. Goethe nos devoraba de rodillas, como buen teutón que era, con los ojos cerrados, embelesado en un sueño, viviendo la pasión de Werther en carne y hueso. Fue un drama que representamos que inspiró los amores de Doctor Fausto y las molestias de Mefistófeles. Hicimos aparecer a Mefistófeles en la forma de un gusano, terco y sobrio, misterioso, austero. A cambio de hacer el amor, prometió toda la belleza del mundo, salud, buena fortuna, tesoros. Goethe quedó encantado con esto. Y llegó a ser una clase de Apolo de nuestro tiempo.

De niño Shakespeare los llevaba a la cama, y un día les pidió que representaran la tragedia de *Otelo*. Y después, *Romeo y Julieta*. En el original, en efecto, Julieta no se mató hasta que el gusano Romeo se hundió una espina en el pecho y murió a causa de ello. El error fatal siempre nos avergonzó y obligó a nuestras mejores actrices a abandonar el escenario una vez por todas.

Es necesario comprender que, desde ese instante del error fatal de Eva, hemos experimentado el drama de la perspectiva de nosotras mismas. A pesar de las apariencias, nos sentimos responsables de todo, el sobresalto que les causamos, por destituirlos del estado en que se encontraban y dándoles un mundo así.

El Bardo de Albión fue el único dispuesto a reconocer públicamente que las obras maestras del mundo entero, especialmente las que implican la historia del imperio, fueron inspiradas por el amor de las lombrices, tanto como símbolo y realidad, si no por la orden fatal de la reina virgen que previó la deshonra del trono y su propio nombre. Una caricatura representaba a Elizabeth devorando una lombriz más grande que la Torre de Londres. Humor inglés—en el cual *verum et humor* no armonizan siempre —a veces va de lo grotesco a lo sublime ridículo. El camello real se hizo famoso cuando se agachó para sorber el derramamiento de un camello hembra que pertenecía a un plebeyo. O algo así.

Vale recordar que, sin los anglosajones, herederos legítimos de los romanos en la valentía de sus hazañas, lo mismo que los franceses, herederos de los griegos en el arte de las palabras, el nuestro sería un mundo de lombrices atrasadas e impedidas

Con los poetas pasamos noches entreteniéndonos, quizás más que en los tiempos de Salomón y Alejandro. En verdad, no hay vestigio de esto en las páginas de la Historia, bajo presión de la opinión pública y gracias a una debilidad que prevalece entre los genios, se destruyó toda evidencia. Cuando se les interrogó, cínica y odiosamente negaban abiertamente nuestra presencia en sus vidas. Y el recuerdo del pueblo, subordinado y mudo, siempre prefiere asentir en vez de expresarse de un modo diferente.

Camões, sin embargo, fue un genio que vino a salvar la clase de poetas. Les devolvió el honor conjuntamente con el recuerdo y la dignidad de otro tiempo. Y fue después de un buen plato de lombrices que compuso los versos más hermosos de la lengua, su noveno canto, la celebración orgiástica en la isla del Amor. Allí, en el "Gobernador del Cielo y de los pueblos" decretó que aparezcamos como "doncellas acuáticas" disfrazadas de náyades irresistibles, ninfas bellas. Sedujimos a hombres portugueses, lo mismo que habíamos seducido a Alejandro, César, y hasta Ulises, al contrario de la falsificación de Homero. El florentino nos lanzó al Infierno y al paraíso, en las imágenes y los enigmas de los divinos tercetos de la Comedia. Así, dondequiera que viviéramos bajo el misticismo de símbolos, reforzando el tratamiento que los hombres nos dan, pasando por alto que somos princesas en los modales y el origen, no lombrices despreciables que nos alimentamos de barro. Quien recuerda hoy a Salomón en la apoteosis de la vida exclamando en éxtasis: "*Minhoca minhocarum et omnia minhoca sunt!"*

El cantante da Gama, embelesado, una vez se expresó: "Ah, cositas de mi vida, si encontrara la pata de una lombriz, ¡hasta me comería pequeñas lombrices verdes!"

¡Magnífico, magnífico, eso! ¡Cuando mi madre me lo contaba, y aun hoy cuando lo recuerdo, sufro angustia en las entrañas! Buen hijo de Portugal fue él. ¡Nunca se vio otro como él ni se verá jamás en fértil Lusitania!

Anatema al rey Sebastián y su corte, que le confirió una jubilación miserable de tan sólo 15.000 reis, equivalente a lanzarlo a la pobreza. Anatema a los portugueses de la época, que permitieron que su mayor héroe de todos los tiempos "fuera lanzado en una zanja, sin salmo, sin acompañamiento, envuelto en una sábana porque ni siquiera tenía ataúd, con otras víctimas de la peste . . ." sus huesos y cenizas para siempre irreconocibles, un bardo más grande que el florentino, que el hombre de Mantua, que el poeta ciego de Chíos. Cantante, unidor de la lengua, de la cultura, de las glorias portuguesas. Anatema, mil veces, a aquéllos que lo culpan por todo esto. Aunque sea la tradición de grandes hombres, de Moisés a Mozart, no tener tumba donde su nombre sería recordado y sus huesos encontraran reposo.

Se dice que Cabral se dejó engañar por un fraile, secretario privado y amigo, un escriba que en secreto devoraba no sólo lombrices sino también langostas y quien le presentaba al rey una bandeja de avispas. Cabral había empacado su buque insignia con las más hermosas lombrices portuguesas. En Brasil se cruzaron con aquéllas de allí, produciendo los modelos que proveen encanto a las playas e inspiran a poetas y trovadores.

En ese más triste y catastrófico de los tiempos ocurrió el terremoto de Lisboa. Ese primero de noviembre de 1755, las iglesias estaban llenas de gente, conjuntamente cincuenta mil lombrices portuguesas, las más hermosas, nobles y envidiables del reino. Aun hoy no se comprende por qué el Gran Kirios trató de ese modo a esas creaturas adorables. Si por lo menos fuera el Día de los Muertos . . . Pero, ¡el Día de Todos los Santos! ¡Qué sarcasmo! Quizás, arrepintiéndose de haber creado el mundo, deseaba destruirlo de nuevo, reflejando a Sansón cuando agarró las columnas del templo y gritó. "¡Que mueran Sansón y los filisteos!" Ningún testigo ocular oyó un grito de ninguna clase, ya sea dentro de los muros del templo o viniendo de los cielos. "¡Que muera el Gran Kirios y el pueblo de Lisboa!" No murió para nada. Estaba escondido entonces y quedó escondido. Sería un caso del pueblo preguntando: ¿Amaría tanto el mundo el Gran Kirios que enviaría tal terremoto? ¿Lo haría?

Hasta Voltaire, un genio de buen juicio, de sarcasmo y humor, se conmovió. (Algunos dicen que su Henriade no pasa de adulación empacona, y quien sabe si es ésa la razón por la cual envidiaba a Camões y maltrataba a Shakespeare.) Y se burlaba de Portugal en cualquier momento que se le daba la gana. Pero ¿por qué, Voltaire, tanta acrimonia en comparar esa desgracia a un auto-da-fe? Fue la mayor masacre de la historia desde los días de Pompeya, y el Gran Kirios parece un verdugo jesuita. Un acto repugnante, cobarde. Aprovechándose del pueblo de buena fe dentro de sus iglesias. ¿Cómo se puede comprender eso, oh Kirios despiadado? Todo el mundo, desde los cultos a los simples, sintió repugnancia y deseaba procesar al Gran Kirios. Ponerlo en la cárcel a mediados de la noche y tirar la llave. ¡Acusado de matar cincuenta mil portugueses y cincuenta mil lombrices! El abogado local del gobierno Lo convocó que apareciera en tribunales de hombres. Pero, el Gran Kirios no le hizo caso.

El fiscal gritó desesperado: "Kirios, oh Kirios, ¿dónde estás que no respondes? ¿En qué mundo, qué estrella te escondes? ¿Agazapado en el cielo?" Cien años después, otras monstruosidades inspirarían semejantes preguntas.) "Si eres Padre, si eres Bueno, si eres todo lo que dicen que eres, si después de todo, eres Justo, ¡ven aquí y explícate al buen pueblo de Portugal, que prenden un millón de velas, que rezan millones de rosarios, asisten todos los días a Misas sin fin, rezan novenas, y han construido doce mil iglesias en el extranjero y viven con el estómago hinchado de sardinas, replica a nuestra investigación, justifícate al buen pueblo portugués!" El fiscal se superó, exigiendo con elocuencia usando metáforas, imágenes y amenazas que el "Gobernador del cielo y de los pueblos" aparezca allí para revelarse. Pero Él hizo oídos sordos y no se movió un centímetro, ni se apiadó, ni se acusó. Como si estuviera diciendo en su silencio mortal: "¡Imbéciles! ¿qué quieren de mí esta vez?" El fiscal amenazó cerrar las puertas de las iglesias y enviar a los Jesuitas a la guillotina. "¡Tráeme seis justos en la figura de Ignacio, u ordenaré que se afilen las hojas!" Encontraron dos, o más bien, uno y medio. El fiel hijo de Loyola. Un molinista virtuoso, además de la vista, había perdido los brazos y las piernas en el terremoto. El juez estaba usando evasivas cuando un tronido fuerte hizo resonar las tejas del techo. La sala de tribunales se llenó de luz y se tornó tan dorada como una capilla Sixtina portuguesa. El Gran Kirios apareció allí, ya viejo y barbudo, con ropa de campesino, arrugada y sin muestras de haber sido jamás planchada, un pobre infeliz exteriormente, pero majestuoso y señorial en la mirada, rodeado de ángeles que lo sostenían, como si las piernas no le obedecerían.

Su réplica pasmó al tribunal y al pueblo portugués. Hablando con voz de trueno, ¡declaró claramente y en buen tono que se

fueran a China! Que Él no tenía nada que ver con el terremoto
de Lisboa. Nada, nada, absolutamente nada. Que su único papel
en el mundo era sembrar. Y aun entonces no ejercía el mínimo
control sobre la suerte de las semillas, como su Hijo había explicado en la parábola del Sembrador. Que el que tenga ojos para
ver, vea. Y oídos para oír, oiga. Y la inteligencia para entender,
entienda. Esto fue lo que el Gram Kirios le dijo al pueblo de Lisboa esa noche en la corte suprema portuguesa. Al final de lo cual,
se podían oír murmullos nerviosos y oleadas no controladas de la
garganta, pero, ¿quién se atrevería a contradecir al "Gobernador
del Cielo y los pueblos"? Entonces, partió. Pero no antes de orde-
nar un destello venenoso de luz que hizo un hueco en el techo y
pulverizó el papeleo del juicio. Y el juez, temblando, martilló la
mesa tan fuerte que el mazo salió volando.

En casa, el magistrado recibió un regateo tan fuerte que hasta
los ángeles se echaron para ver. Todas sus vecinas boicotearon a
su pobre mujer y habían huido por temer que alguna otra calamidad aún peor se manifestara allí. No está escrito que ocurrieran
tales dudas. Para estar seguros, el juez y el fiscal, cuya esposa
blandía un par de tijeras bien afiladas, pasó la noche rezando una
plegaria improvisada que demostraba su fervor: *Misere nobis,
Domine, quia minhoca sumus et in minhocam revertemur omnes.*
[¡. . . ten piedad de nosotras, Señor, porque somos lombrices y
nos tornaremos lombrices!] Y el Gran Kirios, que tradicionalmente da todo por un poquito de humildad sincera, se ablandó
con las plegarias de corazones endurecidos y chorreando desgracia. Y los dos oficiales, renovados, reconquistaron el corazón de
sus esposas y recobraron el prestigio perdido con los vecinos. Lo
que una vez más es prueba que el Gran Kirios opera con métodos
extraños y senderos aún más extraños.

Capítulo Veintinueve

Aquí pausó la lombriz. Tosió de nuevo, seca la garganta. El tiburón reaccionó con otro acto de galantería refinado de los viejos tiempos de caballería andante. Se doblegó y sacó agua acumulada en las piedras y la llevó a los labios de ella. Se lo agradeció con aun más donaire, simultáneamente sincero y como de cortesana, mientras que él, visiblemente enardecido por la cercanía, volvió a acomodarse cerca de ella, preguntándose en silencio si debería aprovechar la oportunidad de darle un ligero beso.

Ella se disculpó por haber hablado tanto, pero en realidad la historia que todavía debía contarse sería aun más impresionante. Entonces le pidió al tiburón que por favor relatara algo de su propio origen, sus proezas y las de su pueblo. Porque le estaba empezando a gustar el mar y la vida allí. Se sentía sana y salva en su compañía. Y si pudiera, dejaría a la madre que tanto adoraba y a los hermanos pérfidos que odiaba con la misma intensidad, construiría un castillo con vista a las olas, desafiando los vientos. Con gaviotas, hermosas gaviotas blancas revoloteándose, dando vueltas, riéndose de todo aquí abajo y yéndose volando. Y prometió escuchar su historia con el mismo anhelo que él la había escuchado. (Una mentira de la clase más refinada de mentiras consagradas, con efecto dramático y utilizado hoy en día entre parejas que se cortejan.)

El tiburón honró el pedido, inmediatamente y con placer, muriéndose de ganas de ver llegar ese momento.

El tiempo, espléndido . . . (Una mentira todavía más grande.

Había estado muy distraído y en un momento se había adormecido con un ronquido sofisticado, muy de moda en los salones, que había pasado tiempo practicando. Cierta sonrisa burlona, soltando el aire pesado en un escape controlado de la garganta, de tal modo que cuando saliera el ronquido se despertaría, abriría los ojos, sonreiría, saludaría a cualquiera que estuviera frente a él, riéndose, incierto si había dormido una siesta silenciosa o con ronquido. Excepto que la lombriz era lo bastante perspicaz para notar el viejo truco, y tan diplomática como para disimular que no.) Quedó boquiabierto, encantado de su voz, el modo de describir y cómo convertía las cosas más pequeñas y mundanas en joyas de conversación. Por lo tanto, cuando se lo pidió, él no puso reparo.

Además (comenzó el tiburón), él tenía la sangre noble de los tiburones blancos y primigenios, reyes de los mares, descendientes del Gran Tuba, el ilustre abuelo paterno, fundador de la jerarquía, temido y respetado por sus tácticas y método de pescar. A quien, por sus amores, se le apodó Tuba-Rei. Sus amantes, en la práctica, eran todas las hembras de los mares. Bastaba acercarse y recitarles palabritas dulces que siempre comenzaban con "niña de mis sueños", "niña de mis amores", "niña de mi alma" para que ellas cayeran en sus brazos, suspirando de amor. Con el tiempo, según el genio de la lengua, se modificó el nombre, y tuba-(rei) se transformó en tuba-(rão), que ya aparece en los documentos más antiguos de la lengua, sin guión, o *tubardo*. Hay varios filólogos como Zildenstein y Juracyvish, que no aceptan esa etimología y prefieren basarse en un informe apócrifo que atribuía el origen al trato por las amantes del Gran Tuba, que decían, "Oh, tú, barão, ¡ven a mis brazos!" "Oh tú, barão de mis sueños, ¡ven a hacerme el amor!" Como ambas versiones etimológicas parecen verosímiles, dejo la opción a quienquiera desee que escoja la suya. (Explicó el tiburón.)

Realmente tenía una lengua larga y penetrante que, colocada entre los dientes y la boca, emitía el sonido chirriante y cóncavo que retumbaba sobre las aguas como una trompeta de batalla. Usando esa tuba mágica atraía peces desprevenidos a cenas opulentas en su mansión subacuática. Les servía golosinas exquisitas. Y, después de la cena, después del acostumbrado brindis de amistad, los devoraba uno por uno. Ese tío abuelo era un genio multifacético. Además de la tuba, también imitaba el saxofón como un virtuoso. Se reía a carcajadas, silbaba; lo único que le faltaba era hablar. Era señor del debate que sería la envidia de cualquier demócrata que ambicionara alcanzar la Casa Blanca. Por esa misma razón, se le llamó el "Gran Gargantúa" o "Pantagruel de los mares", apodos adoptados por Rabelais.

Un primo legítimo de las ballenas hembras que en esa época se dividían con ellas el dominio de los mares. Un día sus cuerpos comenzaron a expandirse más y más, inexplicablemente, mientras que sus partes internas quedaban lo mismo. Tanto, que los excesos de siempre y diversiones similares eran imposibles . . . Todo iba perfectamente hasta cierto punto, cuando . . . Las partes pudendas se cerraron, un martirio, evidentemente, además de la vergüenza y el escándalo que causó entre los peces precavidos, que habían condenado cualquier gestión con las ballenas. La mayoría, sin embargo, expresó disparates y se rio como loca. Los amantes también se rieron, ocultando el dolor e inadvertidamente fomentando el cruel amontonamiento.

Entonces, un día el Gran Tuba tuvo que someterse a una grave intervención quirúrgica (los ojos de Monice se dilataron de asombro, casi haciendo una mueca, en un vano esfuerzo de parecer apartada y sin comprender. Pero, al contrario, sintiendo angustias de represión, encontrando el asunto trágico e hilarante al mismo tiempo.) Se llegó a la conclusión que las cosas no podían seguir como estaban. Las ballenas se separaron de los tiburones amistosamente. No fue un divorcio en masa en términos jurídicos, sino una separación amistosa, que no impidió que uno u otra se encontraran rápidamente donde, con delicadeza, pero en vano, trataron de evitar el drama habitual. Lo que una vez más es prueba de la naturaleza humanística de la raza de tiburones. Efectivamente, unos sicólogos perspicaces, contradiciendo la antropología y el sentido común, afirman que el hombre es un tiburón primitivo cuya cola se dividió en piernas.

En su despedida, el Gran Tuba convocó una gran reunión, y conmovedor y hablando en nombre de todos, dijo: "Vosotras sois nuestras hermanas. Escogeis los mares que os gusteis. Si vais al norte, iremos al sur. Si escogeis el este, iremos al oeste". Y así ha sido hasta hoy.

Sin embargo, las hembras, obrando sólo con el gene que les quedaba, con gran ingenio y pericia, desarrollaron machos de la misma especie. Lo que ocasionó el dicho: "Cuando una hembra quiere algo, tarde o temprano lo conseguirá".

Nunca más nos convocaron a servir. Pero todavía había una fase cuando ellas se sentían abandonadas, lamentando nuestra ausencia y llorando noche adentro. Se lamentaban más que las sirenas de la leyenda. El tiburón hablaba con tal arrogancia en la voz que no percibió las contorsiones en el rostro del visitante. No lo hacía por malicia sino de una superabundancia de machismo y dandismo, algo sumamente común en la especie. Tan común que el dicho se difundió: "Quienquiera que oiga las palabras de un tiburón debe suponer reírse o vomitar".

Las ballenas, sin embargo, mantuvieron su cortejo eterno con poetas y sicólogos—continuó el tiburón con resentimiento—como lo habían hecho con los profetas, elogiadas en cuentos y novelas de esos tiempos y que continúan en estos días.

Capítulo Treinta

Cierto Jonás, un tipo hippie, además de ser un terrorista elegante por convicción y estilo, que no ocultó su enemistad con los asirios, fue escogido por fuerza por el Gran Kirios para una misión entre los pueblos vecinos. En una burla grotesca de mal gusto, sin paralelo en la Biblia entera, que serían unas hermosas tiras cómicas. Juntos, revelador y profeta injustificadamente falsificaron los papeles de los personajes, con la intención de causar efecto. Pero, ¿qué efecto causaron? En primer lugar, había sido un tío abuelo del Gran Tuba y no una ballena, que lo había alojado por tres días. Por su acto heroico, fue aclamado como el "cetáceo" [¡sic!] del milenio y decorado por el propio rey de Nineve en una recepción de etiqueta, al lado de Jonás, en una ceremonia muy incitante y conmovedora. Se lo había tragado entero, cortés y caballeroso como dicta la etiqueta, para no arruinar la ropa raída del profeta. La cual, a propósito, tenía un gusto salado y venenoso por no haberse lavado desde que aceptó el puesto de embajador a Nineve. Y, fiel a su nombramiento, no se había bañado desde entonces. Se consideraba bañarse como un rechazo a la pureza y la virtud. Lo que bastaba para embrollar el cerebro y revolver el estómago del Tío Tuba, que vagó por los mares tres días sin saber dónde estaba ni adónde iba. ¡Vomitó Kirieeleison!—exclamó, inflando las aletas y mirando hacia el cielo con éxtasis—en la primera playa que encontró. Ese día, juró que nunca más prestaría el estómago para transportar a cualquier poeta que fuera, aunque llevara el Arca de la Alianza, ni siquiera si el Gran Kirios se lo echara a los pies.

Es muy evidente que aun un niño podría ver el disparate de la profecía, que del principio al fin se parece más a una mentira que un pasaje sacro. Y si fuera verdad, ¿qué clase de Kirios transformaría su mensaje en una broma?

La garganta de la ballena no permite que pase una naranja, mucho menos los pies de Jonás, aunque se hubiera cortado las uñas. Con todo, desde el comienzo del tiempo, las ballenas han disfrutado la atención de los poetas, y sido héroes de los escribas, que optaron por ensalzar hasta el grito que daban. No es un llanto de los ojos sino un bramido de las entrañas en un furor a proporción del tamaño de la especie. Un defecto marino que las fastidia de noche por falta de un ingeniero apto para lubrificar los engranajes. Mientras tanto, los tiburones son considerados bárbaros y los villanos del mar, el terror de pescadores, carniceros sanguinarios odiados por todos. Una reputación injusta, en conjunto, sin mérito. Miremos los datos estadísticos. Las pirañas, por ejemplo, que sí merecían tal reputación, no la recibieron nunca. Tan sanguinarias y traicioneras que el Consejo de los Peces Unidos las expulsó de los mares; finalmente encontraron refugio en la selva del Amazonas. (Aquí, Monice, sin interrupción, finalmente se echó a reír y tarareó la melodía:

> Piraña, piraña
> Pirañemos todos
> Cuando es un día de piraña
> No se puede hacer el tonto . . .

Medio horrorizado, le prestó poca atención, sin captar la intención de su interlocutora, sino que la instó a que continuara.)

Tiburón es un vocablo vil y despectivo en estos días. Como lo sabemos todos. Y ha sido así por siglos innumerables. No obstante, en nuestra venerable cultura sólo matamos para comer. Es un modo honrado de vivir, necesario y digno, y no un deporte al cual se dedican muchos hombres, de pura pereza, sin necesidad de satisfacer el hambre o alimentar la familia. Arriesgando la vida. No fue nunca nuestra intención ganar dinero por nuestro arte de pescar. Aun ahora, nadie ha oído hablar de un tiburón que venda pescado o carne humana. En una tienda a la orilla del agua.

Los hombres, al contrario, asesinan diariamente con ánimo de lucro, además de vacas y pollos, millones de ganado de todas las especies, sin contar los millones de pescados. Y sin contar las víctimas del odio y la venganza que matan y dejan pudrirse en el suelo, algo inconcebible entre nosotros. Cuando no estamos de acuerdo con alguien, primero empleamos un simbolismo diplomático, entonces un torneo de gestos y actos en defensa de la dignidad y los derechos constituidos. Y sólo cuando falla todo lo demás recurrimos a la confrontación corporal, usando estratagemas de guerrero, con los dientes y todo lo que tenemos para probar nuestro punto de vista, o salvar nuestra honra como rey del mar, defender nuestros derechos, establecer los principios inviolables que nos concedió la naturaleza. Nunca usamos cuchillos, ganchos, armas afiladas, ni las armas de fuego que fabrican. Las naciones más potentes no son las más cultas ni nobles sino aquellas que fabrican las máquinas más destructoras. Como el cañón arpón. Lo que nos disparan en los costados y nos arrastran sangrando por los mares. No soy sensiblero, y odio los quejidos de René, quien odiaba la comunidad de los hombres. Cada hora entre ellos parecía abrirle un hueco en el pecho. *¡Kirieleisón!* ¡Un hipocóndrico así en una obra genial de la cristiandad! Macedo o aun Alencar nunca irían tan lejos.

Lobos muertos de hambre. ¡Vamos de caza! Replican al Aquiles barbárico, arrastrando nuestro cuerpo sangriento por las olas. Lástima que ningún Picasso hasta ahora haya recordado dejarnos un cuadro digno del hecho.

Están en guerra continuamente, bajo el pretexto de paz, haciendo nuevas guerras y, para mantenerse en forma y proteger las industrias de guerra en producción completa, inventan guerras pequeñas aquí y allí. Atacan países desprevenidos, soldados andrajosos, adolescentes que ni siquiera han crecido, sin armas, sandalias japonesas, descalzos, bajo cualquier pretexto que sigue la agenda política predominante, apoyada por la oposición y ostentando un tono agradable para los oídos de las naciones, tales como "derechos humanos", "paz universal", "la gran democracia", "la ecología sacra", "los diez mandamientos del bosque tropical", "propiedad sacra", "capital divino". "¡Respeto a los roedores!" ¡Maldito sea el que le dispare a uno de ellos! O patee un perro. Alguien fue detenido recientemente porque le disparó a una rata detrás de su casa. "Un animal que nunca hizo daño a nadie". Hubo demonstraciones de solidaridad y se propuso un monumento al roedor. El alcalde apoyó la causa y vio subir como cohete su popularidad en las encuestas. Desde los días de Nineve, a nadie se le ocurrió erigir un monumento al tiburón.

Nunca faltan razones para una pequeña guerra didacta y demostrativa. Los señores ecológicos que llenaron los cielos de explosivos nucleares y diezmaron millones decretaron que es salvaje e inhumano detonar nuevas bombas. Derribaron bosques enteros de California a Alaska, ya que es un crimen tocar los árboles del Amazonas. "¡El pulmón del mundo! ¡El pulmón del mundo! ¡Mirad!" Tanto mejor, si el Amazonas es el pulmón del mundo y debe mantenerse en su estado primordial, entonces Brasil debe ser compensado por el oxígeno producido por el pulmón del mundo. Basado en los millones que se pagaron por el petróleo que produjo el pulmón del mundo. Basado en los trillones que se pagaron para el petróleo que contamina y mata. No se necesita un Einstein para aclarar la relación. De hecho, el oxígeno del Amazonas es significativo en proporción directa al aire puro y en proporción inversa a la contaminación. Los comités responsables deben abrir los ojos y abrir las puertas de par en par para una discusión inteligente y práctica del problema capital de la supervivencia del planeta. Hoy, el astro rey es nuestro amigo, y no hay nada más agradable que un baño de sol. La humanidad volverá al polvo una vez que él comience a secar totalmente los ríos y siembre desiertos en el bosque.

El problema de hoy no es el hambre del planeta sino el hambre en el planeta. Y en vez de gastar trillones preparándose para guerras nuevas, debemos instruir a la gente a combatir el hambre. La primera obligación del hombre es matar el hambre. ¡Hambre maldita! ¡Hambre bendita! Mil veces bendito es el estómago vacío de los muertos de hambre. Es el motor de la obra en la Tierra. A cambio del mío y del tuyo, por allá, por aquí—En el cual el hombre listo toma más y otro hombre, menos. Del cual el progreso y las riquezas saltan de una mano a otra. Y no se puede hacer nada. En conformidad con el dicho estoico del Mesías: "Los pobres estarán siempre con vosotros. Que la mujer se divierta y derroche . . ."

El hecho es que mientras dure el hambre en la Tierra, mientras haya estómagos que llenar, constituirán un recurso de riqueza. A la larga, es el capital que pone pan en la mesa y determina quién comerá y quién no. Y quién no comerá nada. Quién come hoy y quién comerá mañana. Un buen capitalista es el que mantiene el equilibrio entre el pan con mantequilla y un estómago vacío.

Con el cañón arpón, nuestra vida entró en una fase de amenaza constante. En los viejos tiempos recorrimos los mares, comiendo y jugando sin la menor preocupación. Hoy, estamos en aviso. El motor más pequeño nos asusta, haciéndonos sentir el gancho que penetra nuestra carne, arrastrándonos por las aguas y las sacudidas de las olas. "¡Salve!, tiburones de la tierra. ¡Nosotros, los tiburones de los mares les saludamos!"

Capítulo Treinta y Uno

A los hombres les encanta una mentira. Y como buen mentiroso, crean un kirios de mayores proporciones. Melville, que en su tiempo fue profeta hasta cierto punto, falsificó completamente el papel del Capitán Ahab. Moby-Dick lo arrastró por las aguas, hizo una merienda del viejo capitán. Simbólicamente, noblemente, y aun con ironía, como era propio de una reina de los mares, todo lo que quería de él era el corazón. En cuanto al resto, proveyó un banquete en los mares digno de los festejos de antaño. Echó al aire los brazos y las piernas. Los peces cayeron sobre ellos con delicia bulliciosa. La cabeza, que voló en el aire, sería el premio para quienquiera nadara más rápidamente y saltara para agarrarla antes que se hundiera. Hasta los peces flemáticos de Atlántida aparecieron para el banquete. Gracias al atrevido Capitán Ahab, tuvimos un picnic suculento digno de recordarse. Melville no menciona nada de esto. Capciosamente, como cualquier narrador de leyendas. El mismo capitán, si estuviera vivo, sería el primero en desmentir la tontería de su dotado profeta. Nunca le falta dignidad y carácter al viejo lobo marino.

"Eh, vamos, vamos, ¿cómo podrías tú, ciego como un topo, no saber nada sino lo que has oído?" exclamó el tiburón dramáticamente. Ninguno de los héroes, sin testigo ocular que dejara una sola línea para verificar lo que cantó tu lira. Y, como fue el primero en anotar lo que creó la gente, inventó una literatura similar a ésa del *cordel*, la base de otra literatura y ocasionó una cita famosa. En las palabras de los filólogos Zildenstein y

Juracyvish, "Homero es para la literatura como Moisés para la Biblia".

Estamos tratando de un pueblo que, más que ningún otro en la Tierra, se distinguió en todo género de prosa y poesía. Toda esa epopeya se basa en la vívida imaginación de un trovador que había perdido la vista. Y mientras mejor sea la metáfora y más grande la ficción, más los pueblos la estiman y más exaltan a la persona que cuenta la mentira. Apenas se habla de Eneas, un héroe de la resolución de Ulises, cuyas celadas y codicia lo llevaron a pasar diez años vagando por los mares, mientras que el otro intrépidamente fundó la ciudad de las siete colinas.

Según el relato de un pez viejo (refiriéndose a Salmonides, un investigador entusiasta de la historia sumamente confiable y equilibrado en sus descripciones, reconocido universalmente como el Heródoto de los mares, cuya gran hazaña fue revelar el lugar exacto de Atlántida, intacta aun ahora con sus castillos y murallas, sus templos y hogares, sus estatuas, sus tesoros, lo mismo que cuando se hundió como consecuencia de la horrible separación de los continentes. Y donde está enterrada el Arca de Noé).

El terremoto más violento que el planeta jamás había presenciado, que vio las Américas partirse a un lado, las hermanas al otro, y la trágica desaparición de la más hermosa de todas, "Adiós, amada Atlántida, hasta algún día . . ." Como una novia preciosa, cubierta de espuma, tragada por el gigante que adoptó su nombre. "¡Adiós Europa! ¡Adiós América! ¡Adiós África de mi corazón! ¡Dile al sol naciente que no se olvide . . .!" sollozó Atlántida mientras las olas se la llevaban abajo.

Las descripciones de Salmonides son inestimables para cualquiera que piense algún día llegar a conocer la tierra ahora asen-

tada en el fondo del Atlántico y recuperar la legendaria Arca de
Noé. Había recorrido todos los continentes, de norte a sur, de
este a oeste, de las aguas profundas a su superficie, penetrando
ríos como el Nilo, el Amazonas, el Misisipí. Se dice haber dejado
no menos de 1.500 volúmenes, historias que preceden a Jonás, y
episodios inéditos de Vasco da Gama, Colón y Moby-Dick.

El saqueo de Troya, como aparece en La Ilíada, se atrevió a
llamar "el mayor fraude de la historia inscripta".

En su investigación, había descubierto que los troyanos
incendiaron su propia ciudad estratégicamente y masacraron
a los griegos que la pisaron. Esos imbéciles en el estómago del
caballo murieron asfixiados o se escaparon en medio de las
llamas. Ulises, acarreado en las espaldas de sus camaradas,
trémulo, medio muerto, los pantalones llenos y goteando. Eso en
cuanto a su valentía y orgullo. Paris, el hombre más hermoso del
mundo y por esa razón también se merecía la mujer más bella del
mundo, murió héroe, luchando como un animal salvaje. Helena,
sollozando, llena de remordimiento y de rodillas, pidió perdón
antes de caer en los brazos de su esposo. Una insensatez inaudita,
inaceptable, en la tradición de Medea y Clitemnestra, para una
mujer hermosa como Helena. No había necesidad de tal drama.
El machismo de Homero lo demuestra bien claro. Una ridiculez
igual a la de la guerra misma, en sus amores, sus intrigas y sus
motivos. La mujer más hermosa del mundo, según el testimonio
de Hera, Venus y Atena, quienes se portaron como vecinas chis-
mosas, envidiosas y propagadoras de escándalos. Helena tenía
derecho a escoger al esposo que quisiera y, si le diera la gana,
cambiar de idea después de escoger. Regresando a su esposo,
sin embargo, simbólicamente le quitó los cuernos a Menelao,
los cuernos más famosos de la Historia, aunque invisibles en el

poema de Homero. Evidentemente, el mayor poeta de los tiempos odiaba la connotación de cuernos.

El viejo Priam, en su magnanimidad, ofreció su propia hija, la profetisa Casandra, al General Agamenón, en un gesto de paz entre las dos naciones, más tarde traicionado con cobardía y cruelmente por el hijo irresponsable de Aquiles, quien apaleó al rey. Sus famosos mirmidones, en combate o fuera de él, no eran más que unos cobardes.

A pesar de esto, Troya se recuperó y experimentó días gloriosos (ni Homero ni nadie más habló de esto.) La envidia de Grecia, envuelta en batallas fratricidas. La verdadera Ilíada la compuso el héroe troyano y cantante Iliodus, descendiente de una familia muy antigua y noble, que le dio su nombre a la ciudad Ilia. Homero robó el nombre, el tema, el estilo y cambió completamente la saga más brillante de su tiempo, Los griegos, al enterarse del poema y quién lo había compuesto, en secreto le dieron una buena paliza a Homero, sacándole una vez por todas los ojos ciegos. Invadieron la ciudad, raptaron a Iliodus, y después de obligarlo a cantar por última vez, lo cegaron también, aparentemente motivados por una leyenda que la ceguera hacía que uno cantara mejor y purificaba el genio de uno (un punto sobre el cual Salmonides está el cien por ciento correcto, siendo lo que le sucedió parcialmente a Camões y por completo a Castilho), le cortaron la lengua y la echaron en una cisterna, adonde descendían todos los días las jóvenes más bonitas y más talentosas de Grecia, para reproducir en sí mismas su genio, con sangre griega y troyana. Era un hombre sencillo, pero de gigante estatura y predicados. Algunos patriotas, soñadores e inventivos, le llevaban yeguas jóvenes y briosas, de lo que se dice que originaron los centauros. Sin embargo, temían que Iliodus llegara a ser una divinidad demasiado grande para excluir de las glorias Helénicas. Por lo tanto, su nombre fue borrado completamente de la memoria de los hombres. Troya, destruida, igualmente lo habría olvidado. Sólo mucho después, su figura resurgió entre los apuntes perdidos de Eneas. Sin embargo, según Salmonides, fue de estos preámbulos y circunstancias que surgieron los genios de la civilización más grande de la Tierra, y la famosa Edad de Oro de Grecia.

Fue del interés de los griegos difundir la fama de Homero y su obra épica, que se cubriera de gloria. Iliodus, ya anciano, resentido, pero todavía de espíritu ingenioso, escribió unos versos que tradujeron su pena y evocan a Virgilio:

> *Hos ego versiculos feci*
> *Tullit alter honores*
> *Sic vos vobis nidificates aves*
> *Sic vos non veliero fertis oves*
> *Sic vos non vobis mellificatis apes*
> *Sic vos non nobis aratra boves*

[Yo escribí esos versos. / Otro acopió los honores. / Así que no construís nidos para vosotras mismas, aves. / Así que no producís lana para vosotras mismas, ovejas. / Así que no haceis miel para vosotras mismas, abejas. / Así que no tirais arados para vosotros mismos, bueyes.]

Capítulo Treinta y Dos

Ese asunto de escritores y poetas que inventan cosas como les dé la gana viene de otro tiempo. Usando metáforas, crearon mundos llenos de ángeles, demonios y cosas por el estilo. Cultivaron cielos. Fundaron infiernos. Relatos así que contasteis, todas invenciones de genios creadores, el patrimonio cultural humano que recibimos de la mujer llamada Eva. Aquí, un hombre de barro, una mujer oriunda de una costilla, una manzana envenenada, un crimen castigado sin fin a través de los siglos. Allí, un centauro, un fauno, un ejército que cruza el mar a pie sin mojarse, un gigante que derribó las columnas de un templo; una ninfa, una sirena, una virgen que permanece virgen antes y después de dar a luz. Todo a causa de un niño en una cesta que flota en la corriente.

Así aparece Moisés, discutiendo con Homero, el más grande de todos, o su vecino. Luego, Virgilio compitiendo con Dante como subcampeón. Tras ellos, la cola interminable de meñiques y dedos índices sin excepción, todos dedicados a inventar metáforas. Y con esas metáforas crearon el mito y el mundo en que vivimos.

Moisés y Homero, sin embargo, fueron estudiantes del mismo colegio de metáforas y mitos, el mayor del mundo, situado en las orillas del Éufrates, desde que el hombre inventó el habla y forjó el arte de las palabras. Con todo el hechizo que crea. Ritmo, melodía, el coro, flotando en la metáfora y difundiendo la imagen del mito.

Un día dijo Homero, "Mira, Moisés, ya hay mitos más que suficientes para un bosque de libros". Moisés, menos hosco ese día, estuvo de acuerdo. "Sí, tienes razón, juntemos todo y lo hacemos simplemente un cuento. Yo lo relato de un modo, tú de otro, y a la larga escogemos cuál es más lindo".

"Bueno", dijo Homero. "¡Manos a la obra!" Se sentaron a sus escritorios, cada uno con una jarra de vino, un pan y velas que les permitieran trabajar de noche. Pronto aparecieron los mosquitos, y empezaron a discutir las diferencias en el método, estilo y contenido. Si usar verso o prosa. Cantar o declamar. Con la ayuda de un coro o sin ella. El mayor desacuerdo fue el número de kirioses, ya sea uno o muchos al mismo tiempo. Las luchas que tuvieron los kirioses, si era uno solo de ellos que tomara el poder y rigiera sobre los demás. Si el gobierno sería democrático o absoluto. Si tenían los vicios y virtudes de sus súbditos, o sólo virtudes sin vicios. Una guerra implacable entre vasallos. Si los kirioses habían creado a los hombres, o los hombres habían creado a los kirioses. Finalmente, si el hombre vino de la mujer o la mujer del hombre.

No pudieron llegar a un acuerdo. Homero, con calor y cansado, vació su jarra en la cabeza de Moisés. Para desquitarse, Moisés le clavó una vela en el ojo a Homero. Luego volvieron a sus cabales y se dieron la mano con vergüenza, regresando a sus respectivos países para estudio adicional de las supersticiones de su pueblo y los refranes de los profetas. Y así fue que acaecieron las dos magnas sagas de la historia humana.

Homero, ya ciego, se conformó con volver a narrar en versos heroicos lo que había oído de trovadores y poetas desde la niñez en la calle, las declamaciones en las plazas, las canciones acompañadas de lira; relatando el origen de los kirioses de Olimpo, las noches de tormenta encendiéndose entre las nubes, magnas narraciones en prosa y verso transmitidas de padre a hijo, las luchas por el poder, toda una reflexión brillante del alma humana, produciendo las mayores epopeyas de todos los tiempos.

Moisés, dramático, aparece como narrador, pero mucho más imaginativo en crear lo que sería una épica en prosa, Génesis y el Éxodo, intrépido y abundante en la visión escatológica. En observancia de reglas y estilo, brillante en la práctica y el juego y la política, fue mucho más allá, creando la historia del mundo para satisfacer el deseo de su pueblo, de una manera que nadie había concebido hasta entonces, en la cual él llegó a ser profeta, líder y mesías del mismo kirios que surgió de su pluma. Así aparece el Pentateuco, una hermosa saga mesiánica, lo mejor de su género. En Homero, el pueblo crea los grandes kirioses de Olimpo y los usa cuando se presenta la ocasión en la cual uno necesita al otro. En Moisés, el Gran Kirios crea el mundo y en él, su pueblo escogido. Pero ambos tenían razón. La forma, el estilo, el contenido no importa. ¿Qué mundo sería sin kirios, democrático o absoluto, para llenar el vacío del alma, los abismos de la mente? ¿Qué sucedería con los palacios, las plazas, los templos, la Capilla Sixtina? En breve, ¿con la literatura y el arte?

Salmonides no oculta su preferencia por Homero y sus serias dudas sobre Moisés. Según él, esa saga de plagas en Egipto no se menciona en ningún archivo de los mares, ni de los ríos de la época. De hecho, las plagas de Egipto son un grave insulto al Creador de la humanidad, los cielos, los mares, y el pueblo mismo de Israel para quien Moisés escribió la épica del Éxodo. Las plagas convierten al Gran Kirios en un hechicero inferior a las brujas de Shakespeare, o como el Mefisto de Goethe. Allí, al Señor de los Señores y de los ejércitos angélicos, el Gobernador del Cielo y los pueblos le cuesta mucho tratar de persuadir a un simple rey egipcio, ningún gigante mental ni físico, lo que podría realizar con un simple gesto, un simple deseo, un bien situado golpe en la cabeza con los nudillos, una patada en el culo.

Con su dominio de metáforas, Moisés partió las aguas del Mar Rojo para que los judíos pasaran sin mojarse los pies y lo cerró para sumergir la infantería y los jinetes del faraón. En estas circunstancias, eso habría sido el banquete marino más fabuloso de la Historia, mayor que el Capitán Ahab de Melville, y hubiera quedado en la memoria de los peces, hasta los vegetarianos y los flemáticos completamente desinteresados en chismes marinos.

Mis abuelos siempre se reían cuando oían esa fábula. Los tiburones de esas aguas, aunque nunca hubieran oído hablar de Salmonides repiten lo que todos los peces mueren sabiendo que él no tiene idea qué gusto tiene la carne de un caballo egipcio. Ahora, si el Gran Kirios realmente quisiera que los judíos se libraran del infortunio, no necesitaría tal improbable táctica. Todo lo cual eran frases gastadas para el beneficio de los magos de la corte del faraón, quienes informaban fielmente sobre cada una de las plagas, sin atribuirlas a un kirios específico ni alegar que ellos mismos eran responsables fuera de los privilegios de hechiceros. Parece de hecho blasfemia pensar que un Gran Kirios, admirado y temido, necesitara plagas para persuadir a un mortal. Sin lograr el efecto deseado. Con estos episodios, Moisés escribió el Éxodo, mientras que Homero escribió la Odisea.

¿Por qué tomar el Mar Rojo cuando podrían cruzar Suez con los pies secos? Naturalmente, el espectáculo y el triunfo de las aguas fueron la gran motivación. Salmonides dice que Homero (que nunca dejó de mantener correspondencia con su compañero de colegio) le escribió una carta a Moisés felicitándolo en términos generales, pero desdeñando el final. Recalcó que, mientras que Ulises regresó y se vengó de sus enemigos, Moisés se perdió en el desierto sin ver la Tierra de Promisión. De todos los indicios, murió sin haber leído la carta, ni tampoco sabemos si habría respondido.

Volviendo al Faraón, Salmonides dice, que después de todo, simplemente estaba cumpliendo con su deber civil. Fomentando el bienestar del pueblo y la economía del país. Ahora bien, liberar la mano de obra era lo mismo que liberar a los esclavos, lo que siempre ha resultado en guerras alrededor del mundo. ¿Se les ocurrió alguna vez a los esclavos en Grecia o Roma, o en la corte de Salomón, ir a sus amos y decirles que el Kirios que ellos adoraban les ordenaba que recogieran las pertenencias y partieran? Y que ellos, Señores y Reyes, ¿le obedecían y les permitían irse o incurrirían su ira e infligiría plagas en todo el país?

No debemos crucificar a los poetas y narradores. No apedrear a los guitarristas y los versificadores de la calle con su poder de rima y la magia de las palabras. Ellos simplemente anotaron en papel las mejores fábulas de su época. Para la gloria de su nación, la diversión del pueblo y, sobre todo, el sueño de inmortalidad oculto en cada verso, en cada línea, en cada melodía. De este modo Homero, Moisés, Virgilio y Dante. Cervantes, Verdi, Bizet, Beethoven, y Shakespeare siguen viviendo.

Otro punto de contraste. Homero habla de los kirioses de Olimpo, pero deja todo como lo encontró, mientras que Moisés se pone al centro de todo lo que creó. Entra en la Historia en una cesta que flota perdida en las aguas del Nilo, le llevan la corte del Faraón, pero intenta destruir al rey que lo adoptó como hijo. Lo que lo haría un monstruo de ingratitud, indigno del papel de héroe, mucho menos de mesías. ¿No habría sido mucho más fácil forzar la integración política de los judíos, imponer derechos humanos, e Israel, con su dinamismo, su espíritu de lucha, su visión perspicaz de todo, lo que produjo un Elías, un David, un Salomón, un José, un Jesucristo, un Freud, un Einstein, ¿quién sabe si habrían terminado heredando el trono de Egipto?

¿Acaso no heredó Constantino, hijo de una mucama de pensión, todo el imperio romano? Por lo menos los judíos podrían reclamar descendencia del virrey, quien había rescatado al país de la pobreza y del hambre. De cualquier caso, ¿no habría sido más simple y más práctico que partir al azar en busca de la tierra desconocida, matando, derramando la sangre de la gente que encontraban en el camino, todo en nombre de un kirios, Padre de todos, pobre y rico indistintamente? Un kirios a quien ellos mismos no reconocían ni temían, teniendo en cuenta que después de todo, después de las plagas, la muerte del primogénito de los egipcios, el cruce del Mar Rojo, el maná en el desierto, los israelitas le tenían en poco y consideraban a Moisés un despreciable charlatán, se les ocurrió hacer un becerro de oro que adoraron y creyeron que los rescataría del desierto. Ahora bien, eso es un insulto a la pluma de Moisés y la inteligencia del pueblo hebreo. Nadie tendría valor para confrontar la ira del Gran Kirios en su presencia después de tantas pruebas de su poder. Ningún griego, ni siquiera romano, por más audaz o tonto, tendría la impudencia de hacer un idiota a Júpiter, por no decir nada de la cólera de Atena, si, en vez de adorarlo, adoraran una cabra en la plaza. Los kirioses, celosos y de naturaleza vengativos, no tolerarían tales insultos.

Y Salmonides continuó:

Moisés, sin embargo, es escritor de prosa, y prosa tan perfecta que convirtió en profecía todo lo que emergió de su pluma.

¡Moisés fantástico! Rival de Homero, quien le cedió a su colega el título de Emperador de la Literatura y asumió para sí la corona del judaísmo.

No estoy de acuerdo con Jenófanes cuando dice que "todo eso es sólo una epopeya de metáforas". En realidad, con metáforas se crean mundos, se fundan religiones e imperios, poblados de santos, demonios y profetas, y hasta un Mesías nacido de un virgen, sin intervención humana, que sacude el mundo como la más sublime de metáforas. Él, el pobre Mesías en el papel que asumió, como Moisés, fracasaría en su misión como líder de su pueblo, condenado por los suyos, traicionado por un hermano, y terminó como un canalla en una cruz. Fue su papel de héroe en el drama de la manzana. Con su sangre redimiría el mundo. Sin la suerte ni las facultades de Teseo que diestramente mató el minotauro, él de hecho, murió en vano. No redimió la metáfora, y el mundo sigue esperando su retorno, u otro Mesías que aparezca en su lugar.

Todos estos cuentos abarcaban conocimiento humano de una acción y forma que resulta casi imposible de escapar para el hombre de hoy. Culpad a Homero y Moisés. Todos los animales de la Tierra, no menos los peces en el mundo entero, compadecen a los hombres. Ah, la desdichada alma humana, asediada por millones de monstruos y duendes, ¿dónde está vuestra Ariadna? ¿Dónde se oculta el Teseo que os liberará del laberinto de mitos?

El tiburón se refirió otra vez a sus primos los delfines, hacia quienes apenas disimula su resentimiento, envidia y admiración al mismo tiempo. "Los favoritos de niños y adultos . . . que darán cualquier cosa por un espectáculo y mueren por el aplauso. Viven como si la vida fuera un circo con payasos el único acto".

Capítulo Treinta y Tres

Aquí pausó Clito el tiburón y suspiró profundamente. Monice, hasta ahora extasiada y absorta, meditando a distancia, de pronto retrocedió y se rio ligeramente. Luego dijo:

"Mira, disculpa la interrupción . . . pero cuando hablaste de los delfines y el aplauso, de pronto me encontré de nuevo en la pasarela, parece que estaba soñando . . ."

"Mi Reina de Belleza . . . ven y sueña en mis brazos. Soy, sin lugar a duda, el más guapo de todos los tiburones de los mares . . ." (Puso una cara risueña, mostrando los dientes e inflando el pecho en una pose habitual.) "Un paseíto por la playa no vendría mal, ¿verdad, mi niña?"

Ella miró al costado, simulando total indiferencia. Simulando hastío. Finalmente, agregó:

"Entonces . . . debes divertirte mucho . . . y no te faltan las novias, ¿verdad?"

Sorprendido por la pregunta, tragó en seco y logró decir:

"Bueno . . . Una, dos, a lo mejor tres . . . nadie como tú . . . tan distinta, tan rosada y tierna . . . tu porte de muñeca, la piel como una amapola . . . Juro por el alma de Moby-Dick que no hay nada en el mundo que se compare a ti . . . niña encantadora . . . un sueño de lombriz. . . de veras, no . . ."

Fue sincero. Su alma entera le burbujeaba en los labios. Todo su ser ardía con deseo de poseer la cosita, allí mismo, en ese instante. Pero ella, aún con ironía, dijo:

"¡Basta . . . tú, el declarado enemigo de las metáforas!" dijo, otra vez simulando indiferencia. Afectando distancia. Después, intuyendo el vacío que crecía y que él no reaccionaba:

"Esas playas, cuéntame de esas playas pintorescas . . ."

"¡Ah! . . . cerca, un camino corto, nada en realidad . . . el agua templada . . . divina; no hay nada mejor que holgar en la arena blanca de la playa . . ."

La lombriz ya no podía responder, fascinada por su presencia y cómo se veía. Su fuerza, su vigor. Le ardía la cara cada vez que él hablaba, esa voz profunda en el pecho que vibraba dentro de ella. Trémula, sin saber cómo actuar. Controlarse. Él se acercó, como si fuera a besarla, tomarla bajo su poder. En un arrobamiento, ella ya se sentía poseída. Sabía que, aunque quisiera, no podría resistir. Él . . . tan grande . . . tan poderoso . . . penetrándola con suavidad y ternura . . . Entonces se le nubló la mente. Lamentó todavía ser virgen. "¡Cielos! ¡Ay de mí!" Se le formó un nudo en la garganta, anticipando el rechazo. ¿Qué haría él cuando se diera cuenta? ¡Entonces! Había oído hablar de casos. Dramas. Actos de locura. Suicidios. Recordaba cómo Diolito la había maldito con amargura. Su titubeo y sus modales. "¡El diablo! . . . qué indolencia!"

Nunca se había sentido así. ¿Qué había en ella que le atraía tanto? Una simple lombriz lejos de las cosas de la vida. Él tan grande, tan imponente, dominando las olas que se curvaban a sus pies. Le vino un deseo no solicitado. Ah, ¡si sólo tuviera alas! Le encantaría tener alas y volar como las gaviotas sobre las olas, él corriendo atrás, siguiéndola. "¡Baja, baja, mi niña amada!" y caer en sus brazos, revolviéndose con él . . . en los bajos cálidos de la costa. "¡Ah! ¡Delirante! ¡Ah! ¡Querida! ¡Dulce pasión!"

En ese mismo instante, como un huracán en las aguas, gruñó una lancha a motor detrás de las rocas y una voz exclamó, "¡Qué linda lombriz!"

El tiburón huyó rápidamente y la desafortunada lombriz, atravesada en el anzuelo, se retorció en el viento.

FIN

Ave Canis:
Una entrevista extraordinaria con Domício Coutihno

31 de julio de 2022

George Salis: Usted publicó una novela en 1998 titulada *Duke, el perro sacerdote*, que fue traducida del portugués por Clifford Landers y editada por Green Integer en 2009. Fuera de esta obra maestra, ¿ha escrito alguna novela desde entonces?

Domício Coutinho: Sí, en portugués. Cuyo título es: *Incríeis Revelações de uma Minhoca*. No se tradujo nunca y una buena traducción en inglés sería: "*Revelations of a Water Bait* [o *Earthworm*]". Publicada en Brasil en 2000 [Recife Ed. Bagação].

GS: ¿Qué puede decirles a los lectores del inglés sobre *Incríveis Revelações de uma Minhoca*? ¿Qué nos falta?

DC: Esta novela es una alegórica con lo que se puede decir que hay ciertos aspectos del siglo dieciocho, tipo Voltaire. La modestia no me permite revelar más, excepto decir que anhelo el día que se traduzca al inglés.

GS: ¿Fue *Duke, el perro sacerdote* su primera novela, o tuvo otros proyectos antes que hizo sin que se publicaran?

DC: Fue mi primera novela.

GS: Parece que *Duke, el perro sacerdote* la escribió mucho más tarde en su vida, ¿quizás a los sesenta o setenta años? ¿Usted cree que escribir una novela como ésta fue más fácil con la experiencia y sabiduría de esa edad o desearía haberla comenzado antes?

DC: Es difícil contestar su pregunta. Especialmente como no me adhiero al concepto de Said, el "estilo tardío" en el arte. Evidentemente cuando uno ha acumulado números x de años de existencia, eso tiende a reflejarse en su obra artística. Basta ya.

GS: ¿Cómo describiría su despertar como escritor?

DC: La iluminación repentina de/en la mente de un suceso común y corriente que le resalta en la mente, y le absorbe toda su atención y del cual emerge una obra de ficción. Eso parece ser una ocurrencia muy común entre los escritores de ficción, creo.

GS: Usted hizo su bachillerato sobre la teología aristotaliana tomística en la Universidad Gregoriana de Roma. ¿Cómo fue esa experiencia educacional e influyó los temas teológicos en su novela?

DC: Bueno, el detalle de la teología tomística es que crea la base para el pensamiento racional, causa y efecto, de la filosofía racional. Causa y efecto de todas las cosas. Debido al hecho que la naturaleza es un libro abierto para todos que lean y aprendan y saquen sus propias conclusiones. Por lo tanto se adapta a su vida como corresponde.

GS: Entre otras cosas, *Duke, el perro sacerdote* es una irreverencia deliciosa cuando se trata de religión. ¿Qué le diría a alguien que le acusara de blasmefia? ¿No hay un tema que no se límite en el mundo del arte?

DC: Esta es una reacción violenta de alguien que viene a expresarse con irreverencia. Mi novela es una sátira contra el celibato.

Muestra que el celibato está en contradicción a la instrucción divina original del Hacedor Divino: "crecer y multiplicarse". La doctrina católica en esta instancia es contraria al mandamiento de Dios. Ellos blasfeman, no yo.

GS: En 2006 usted fundó La Biblioteca Brasileña de Nueva York, que aloja miles de libros. Quizás ésta sea una pregunta imposible, pero quisiera saber qué cinco títulos escogería usted para una versión miniatura de La Biblioteca Brasileña?

DC: ¡Esa es una excelente pregunta! Yo diría algo de Machado de Assis (el más europeo de todos los escritores brasileños); José de Alencar; Luís de Camões; Gonçalves Dias.

[En un breve video sin fecha de una entrevista sobre su original biblioteca, Coutinho recalcó, "Las bibliotecas son los símbolos más visibles y nobles de la cultura de un pueblo".]

GS: ¿Qué novela ha leído usted y cree que se merece más lectores?

DC: *Iracema* de José de Alencar. El mito del "Brasilianismo" se refleja en esta obra espléndida. La unificación del varón sofisticado europeo con la "creatura de la naturaleza", la mujer se muestra ser el resultado de la mezcla que es brasileña.

GS: *Grande Sertão* de João Guimarães. *Veredas* (traducida al inglés por James L. Taylor y Harriet de Onís bajo el título *The Devil to Pay in the Backlands*) es aclamada a menudo como el *Ulises* brasileño. ¿Lo ha leído? ¿Qué consideraría la contraparte brasileña del *Ulses* de James Joyce si no la novela de Rosa?

DC: Sí, la he leído, la disfruté mucho y la considero el equivalente brasileño de la obra maestra modernista de Joyce. ¿Qué más hay que decir? Para mí eso es suficiente calificarla excelente.

GS: ¿Cuáles son sus recuerdos más tiernos criándose en Brasil?

DC: Es la tradición de la fiesta del nombre de San Juan Bautista a fines de junio cada año. Baile y canto toda la noche alrededor de una hoguera. Un evento singularmente brasileño.

GS: ¿Cuál fue su motivación para emigrar a Nueva York en 1959? ¿Fue difícil aclimatarse a este nuevo ambiente? ¿Hubo un choque cultural?

DC: Mi llegada a Nueva York fue accidental. Conocí a una bella muchacha austriaca en 1956, justo cuando estaba decidiendo dejar el seminario para hacerme sacerdote. Me involucré con ella y nos comprometimos. Pero tenía que volver a Brasil y decidí estudiar derecho para adquirir suficiente conocimiento para una carrera en la ley. Me recibí en literatura anglo-alemana. Nos correspondimos por correo electrónico. Era muy romántica y me envió muchas fotos y poemas. Hasta un mechón del cabello. Y para cumplir mi promesa de visitarla, y camino a Viena, paré en Nueva York. En ese momento no había vuelos directos de Brasil a Austria y tuve que pasar la noche en Nueva York. Sin embargo, esa noche en particular fui a misa ya que era un domingo y estaba ansioso de comulgar con el Obispo Fulton Sheen, a quien conocí en Roma. Lo que requería que me confesara y para fluidez me confesé en latín. Le causé tan buena impresión con mi latín al sacerdote que oyó la confesión que me ofreció un puesto como sacristán en el acto. $45.00 por semana. El salario mínimo entonces. Y tuve que quedarme. No hubo choque cultural. Estaba enamorado de Nueva York y como ya había vivido más de tres años en Roma y viajado por toda Europa, aclimatarme fue relativamente fácil.

[Cuando Coutinho fue honrado por la Cámara do Recife en 2004, dijo, "Solo un brasileño que está lejos del país puede apreciar la importancia de su propia patria. [. . .] Llevo Pernambuco conmigo en el corazón, porque soy de origen de Paraíba, pero de Pernambuco por adopción. [. . .] . . . todo brasileño, cuando da el primer paso fuera del país, necesariamente se hace una clase de embajador, porque está representando su patria". (Traducido del portugués.)]

GS: Cerca del comienzo de su novela, dice que "Dentro de todos los perros habita un hombre silencioso, y dentro de todos los hombres habita un perro que ladra". ¿Por qué ladra su perro?

DC: Mi perro ladra dentro de mi cabeza todo el tiempo: sobre la filosofía natural, causa y efecto. Cuál es y cuál no es el comienzo de la causa de otras cosas. La naturaleza y las lecciones de la madre naturaleza.

GS: ¿Qué diría usted si estuviera en el confesonario con Duke, el perro sacerdote?

DC: Un pecado personal que podría haber cometido recientemente.

GS: Como alguien que ha abogado por las letras por muchas décadas, ¿tiene esperanza para el futuro de la literatura y el arte en general?

DC: Sí, por supuesto, porque la naturaleza de las letras y la literatura es describir la belleza de la naturaleza y más que todo la belleza de los seres humanos, la obra maestra de la naturaleza.

Sobre el autor

Domício Coutinho nació en João Pessoa, Brasil, en 1931 y emigró a los Estados Unidos en 1959; con el tiempo recibió el título de Maestría y Doctorado en Literatura Comparada de la Universidad de la Ciudad de Nueva York además de su licenciado en teología aristotélica tomística de la Universidad Gregoriana de Roma. En 1986, Coutinho, con su esposa y dos hijos, abrieron un negocio en apropiación de bienes raíces y administración de propiedades. En 1999, Coutinho fundó La Asociación de Escritores Brasileños de Nueva York. En 2002 fue aceptado como Comendador de la Orden de Rio Branco, una Institución Brasileña que honra a aquéllos que se han distinguido en logros culturales y patrióticos. En 2004 Coutinho fundó la Dotación para las Letras Brasileñas (Brazilian Endowment for the Arts), una empresa no lucrativa dedicada a preservar y promover las Letras, la Literatura y Tradiciones Culturales para las comunidades brasilioamericanas y latinoamericanas. Ese mismo año, creó The Machado de Assis Medal of Merit para honrar a aquéllos que se distinguieron en Tradiciones Culturales Brasileñas. En 2006 Coutinho fundó la Biblioteca Brasileña de Nueva York, que aloja 7.000 títulos, con un auditorio para eventos, conferencias, reuniones literarias, películas y representaciones dramáticas. Representantes destacados del gobierno, de la diplomacia y de la academia han visitado la biblioteca.

Además de una colección de poesía no traducida titulada *Salomônica* (1975) y la novela titulada *Increíbles revelaciones de una lombriz.* Coutinho publicó una novela con el título *Duke, el perro sacerdote*, traducida del portugués por Clifford Landers, y que publicó Green Integer en 2009.